自由でありつづけるために

20代で捨てるべき50のこと

四角 大輔
Daisuke Yosumi

sanctuarybooks

ogue

Prol

20代は身軽だ。やりたいことはなんでもできる。
これからどんな大人にだってなれる。
自分にしかできない仕事、豊かで自由な生活、
大好きな仲間とワクワクする挑戦、
愛する人との最高の出会い、
なんでも夢見ることができる。

でも、夢あふれる若者たちのほとんどは
いつの間にか、現実や常識にがんじがらめの、
〝良識あるマトモな〟社会人になる。
そういう大人を多く見てきているはずだ。
そして、自分は絶対にそうはなりたくないと思う。
〝新しいことは原則として排除〟という空気に抗えず、
毎日、目に見えない社会の重圧に押さえ付けられながら、
まわりの顔色をうかがって生きるようなマネは、
誰だってしたくない。

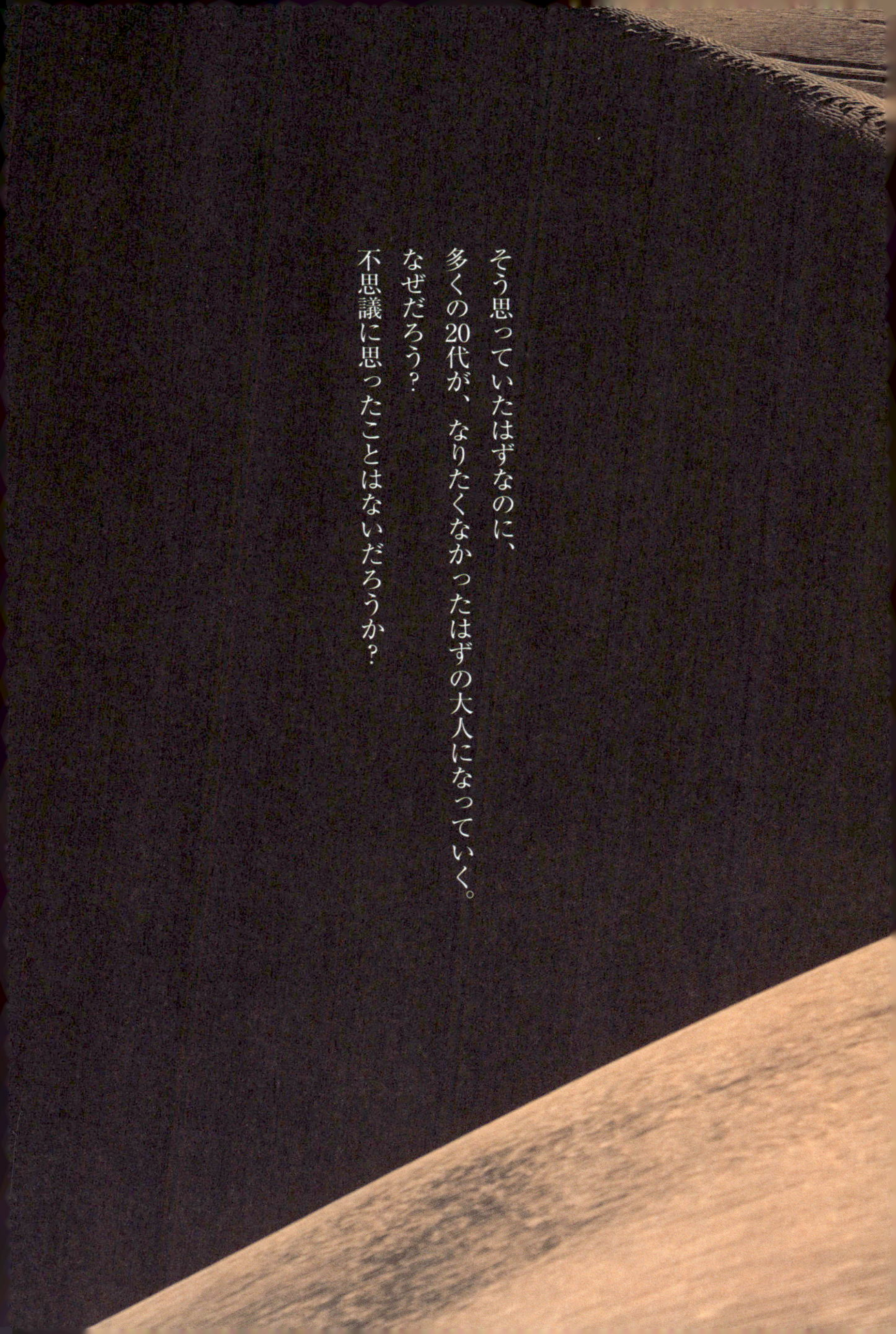

そう思っていたはずなのに、
多くの20代が、なりたくなかったはずの大人になっていく。
なぜだろう?
不思議に思ったことはないだろうか?

誰だって、
他人がつくったルールや、まわりの評価になんか縛られたくない。
誰もが心の底では〝自由に、自分らしく生きたい〟と願っている。
いくつになってもそうだ。
20代はそれでも、自由を求める気持ちが強いから、
なんとか束縛から逃れようと努力もする。

しかし就職したり、仕事をはじめたり、
社会人生活にどっぷり浸かっていくうちに、
いつの間にかそういう気持ちをなくしてしまう。

はじめに

ぼくも15年間会社勤めをして、
同じような経験をいっぱいしてきた。
苦痛な人付き合いもあったし、
出世のための駆け引きも目撃したし、
堂々めぐりする会議、残業に継ぐ残業も、
ひと通り、それがどういうものだかわかっているつもりだ。
そのまま、それなりの収入と安定を得ながら、
生きていくという選択肢もあった。しかし、ぼくはすべてを捨てた。

ぼくは独自の〝オフロード〟を選んだ。
今は、東京とニュージーランドの湖畔を
往来するノマドライフを送っている。
東京では、仲間たちから刺激をもらいながら、
大学生に向けてライフスタイルに関する講義をしたり、
企業にブランディングアドバイスを行ったりしている。
ニュージーランドでは、
日の出とともに目覚め、太陽が沈むと休み、
庭で育てた野菜と釣ったばかりの魚を食べ、
大自然からインスピレーションをもらいながら、
本や、雑誌の記事を書いたり、
アウトドアギアの開発をしたりしている。
都市空間にいても、原生林に囲まれた湖畔にいても、
テクノロジーが発達したおかげで、
自由自在に仲間や情報とつながることができる。

そんなぼくのライフスタイルを見た人たちは
「いい生活ですね」と言ってくれることが多い。
だが、それはどうだろう。
水道もきていない森の生活は決して楽じゃない。
年収は、会社勤めをしていたときよりも
はるかに少ない。
今の仕事だって、そもそも安定も保証もなにもない。
でも、いざというときの備えはできている。
日本に戻らず、
このままニュージーランドにとどまり、
半自給自足ライフを続けることで、
1年に150万円もあれば
十分暮らしていけるだけの、
知恵とサバイバル力をすでに身に付けてある、
ということだ。

だから仕事を失うこと自体、怖くない。
どんな仕事もいっさい妥協なしに攻めきれる。

「そんな生き方はとてもできない」と多くの人は言う。
本当にそうだろうか？
誰でも本気でのぞめば手に入れられる生き方だとぼくは思っている。
この違いを決定づけているのはなんだろう？
それは20代のうちにその人が、
どれだけ自分にとって不要なものを捨てられたか？
もしくは捨てられなかったか？　がカギを握っている。
多くの20代は、多くのものをかき集めてしまう。
当然だ。

はじめに

新しい人間関係、新しいモノ、新しい価値観、新しい世界……
社会に出たばかりで、ついていくのに精一杯。
大人になるというのはそういうことだ、という考え方もある。

たしかに吸収できるものは、吸収できるうちにした方がいいかもしれない。
だが、なんでもかんでも大事にしすぎるのが問題だ。
気づけば、いつの間にか、まさかとは思うが、
人はいろんなものを捨てられなくなっているからだ。

ぼくが今自分にとって
心から満足のいくライフスタイルを送ることができているのは、
とにかくモノをストイックに捨て、
身の回りを徹底的にミニマムにしたこと。
そして、反対になるべく余計なものを
取り入れないようにしてきたからだと思っている。

ぼくは20代の頃、
周囲から「目上の言うことには従え」
「まわりと同じようにやれ」
と何度も古い価値観を押し付けられそうになったが、
そのほとんどを拒み続けた。
そのせいでずいぶん痛い目にも遭った。
でもだからこそ、今のように、
刺激的な毎日を楽しむことができているのだと思う。

新しいモノや、幅広い人付き合いを求めない今の若者は
元気がなくてダメだといわれることがよくあるが
ぼくはそんな風には全然思わない。
「あれも欲しい、これもやりたい」とむやみに選択肢を増やしても、
時間の使い方に迷い、貴重な人生の時間を失う一方だ。

20代は捨て。

今後の自分にプラスにならないと思ったものは、潔く捨てればいい。
捨てれば捨てるほど、視界と思考からノイズが取り除かれ、
本当にやりたいことが明らかになるからだ。

人生は余計なものを削ることで、自分らしさを取り戻していく。
捨てれば捨てるほど、集中力が高まり、本当の能力が引き出される。

誘惑や悩みや葛藤の多い20代を、
自分らしさを見失うことなく、
強くたくましく生きていってほしい。

contents

CHAPTER:1

物とお金

CHAPTER:2

ワークスタイル

CHAPTER: 3

メンテナンス

CHAPTER:4

人間関係

CHAPTER:5

ライフスタイル

CHAPTER:1

物とお金

どうしたら自由になれるのか？
自由になるために、必要なモノはほとんどない。
大事なのは、いらないモノを削る勇気と集中力。
削れば削るほど、自分にとってのど真ん中が見えてくる。
そこだけに力を注いで、あとは寄せ付けないこと。
孤独になることをビビるな。
本当に欲しい仲間や環境は、あとからついてくる。

01

視界にある〝ノイズ〟を捨てる。

Simple and Creative Life

小さな目ざわりを許すな。

CHAPTER:1

01 視界にある〝ノイズ〟を捨てる。

モノは知らないうちに、少しずつ着実に空間を侵略していく。

棚に入りきらないモノ、床に重ねたモノ、引き出しに入れたモノ、テーブルにのせてあるモノ……。

それらは「いつか片付けよう」と保留したモノかもしれないし、「あると便利かも」と保管しておいたモノかもしれない。

よく見てみよう。それらのモノが活躍したのはいつだ？

大好きなモノ以外はすべてノイズだ。

視界のノイズはあなたの空間だけでなく、生活も、頭の中も複雑にしていく。

多くの人がノイズに対して寛容すぎる。

それなのに、今より広い空間で働くことや、暮らすことを求めている。

だがそのままでは、家や職場がより広くなっても、ノイズが拡大するだけだ。

ためしにやってみよう。たとえば今、机の上をリセットしようと決めてみる。

筆記用具かＭａｃＢｏｏｋ、そしてお気に入りのティーカップ以外をすべてどけてみる。

できることなら、その机を窓の近くへ移動させる。

窓の外がいい景色じゃなくてもいい。

レースのカーテン越しに感じる、太陽の光や空の存在に意識を向けてみる。

それらは、都会にいても感じられる貴重な〝自然〟の存在で、ノイズとは正反対のものだ。

視界と頭の中からノイズを減らすと、思考が急に鮮明になり、すぐにでも目の前のことに手を付けたくなってくる。

ひとたび手を付ければ、あっという間に時間が流れる。胸の奥が発熱し、ワクワクしてくる。

それが本当の意味での、〝クリエイティブな時間〟だ。

そしてクリエイティブな時間をどれだけ持てるかが人生の質を決める。

自分を劇的に変えるためには、まずシンプルでミニマムな空間を手に入れることだ。

「いつかしまおう」から「今すぐなくす」へ。

02

今使わないモノを捨てる。

Beauty of Nothing

モノとの別れは、
過去の自分との別れ。

どれも、自分が選んで手に入れたモノだ。

愛着もあるだろうし、なかなか捨てられないモノもあるだろう。

「いつか使えるかもしれないから」と、とっておきたい気持ちもよくわかる。

「もう二度と手に入らないモノだから」という言い訳をくり返し、一生保管し続けるモノもあるかもしれない。


捨てる基準はシンプルでいこう。

今、使っていないモノは捨てる。

即座に売るか、譲るか、処分すればいい。

〝思い出の品〟以外、手放して困るモノはない。

とっておくか迷ったら、捨てる。

自分の人生の優先順位はつねに変わっていき、それとともに、必要なアイテムも変わり続けているからだ。

おすすめは半年に1回、たとえば正月と、6月1日の衣替えの日を「頭と心をきれいにする日」と決めて、荷物を総点検し、部屋の模様替えをしてみること。

02 今使わないモノを捨てる。

「とりあえずとっておく」から「とりあえず捨てる」へ。

〝思い出の品〟も、じょじょにコンパクトにしていく。これは何年かかってもいい。最初は、まずダンボールを一つ用意してその中にまとめる。思い出の品は一年に一度でいいから、少しずつ捨てていく。手紙類はスキャン、立体物は写真をとって記録に残す。大きな収納箱から小さな収納箱へ、毎年小さくしていく。手放すことに対する、悲しみや罪悪感とともに捨てる。

それを墓場まで持っていきたいかどうか自問自答しながら。

めざすは心をかき乱すモノが一つもない、お気に入りのやさしい音楽が流れるシンプルな空間。無駄のない上質なカフェやホテルにいるような快適な時間は、けっこう簡単に手に入るものなんだ。

03

〝ストック〟という概念を捨てる。

Going Minimum

〝外部倉庫〟を利用するという考え方。

CHAPTER:1

03 〝ストック〟という概念を捨てる。

使いたいその瞬間に、手元に無い。
そう言うと不便な暮らし方に思えるかもしれない。
たしかに買い置きをやめれば、使いたいときにその都度手に入れないといけないし、
安いときにまとめ買いしておかないと高くつくという考え方もあるだろう。
でも本当に不便で困ったことってどれくらいある？
まとめ買いしたモノはいつも気持ちよく使い切れている？

なかなか使わないモノに大事な居住&作業スペースを奪われる。

それは、無駄なモノにエネルギーと家賃を浪費しているのと同じ。

使いそびれないように、注意を向けている時間だって無駄だ。

ほとんどのモノは手元に保管しなくていい。

たいがいのモノは通販ですぐに買えるし、レンタルだってある。

たとえば近所のコンビニを大型の冷蔵庫、Ａｍａｚｏｎを巨大な倉庫と捉えてみる。

どちらも「膨大な数のアイテムを、一つ何円というコストで常時保管してもらっている」と考えれば、本や日用品などの〝ストック癖〟から解放される。

あらゆる店を〝外部倉庫〟とイメージし、本当に必要になったときだけ取りにいく。もしくは取り寄せる。

すると、「買っておかなきゃ」という強迫観念から自由になり、今まで収納と探し物に奪われていたエネルギーと時間のロスがなくなる。

すると心が自然と整い、自分と向き合えるようになっていく。

モノをむやみに保管しないということは、自分の心を大切にするということでもあるんだ。

「今、買っておいた方がいい」から
「必要なときに取りにいこう」へ。

04

出し惜しみ癖を捨てる。

Pay Forward

もっと必要としている人に譲る。

モノ、人、仕事、お金、そして水。

なんでも、一箇所にとどまらせていると、次第に淀みはじめる。

それはやがて、あなたの思考と人生を濁らせる。

自然界で水が循環するように、人間が呼吸で排出した二酸化炭素を、植物が光合成で酸素に戻すように、身の回りにあるモノも、人も、より求めている人へ、より必要とされている場所へリリースし、どんどんループさせよう。

あまり使わなくなった道具があれば、それを喜んで使ってくれそうな人を探そう。

今やっている仕事でも、それをやってみたい人がいたら譲ってしまおう。

チャンスがやってきたら、そのチャンスを待ち望んでいた別の人に渡そう。

素敵な人に出会ったら、より付き合いが深くなりそうな人に紹介しよう。

すごいアイデアが思いついたら、一番うまく活用してくれそうな仲間に話そう。

最終的には、自分の手元からすべてなくなる、という不安があるかもしれない。

でもぼくらは元々なにも持たず全裸で生まれてきているんだ。

CHAPTER:1

04 出し惜しみ癖を捨てる。

見返りは求めなくてもいい。
出したら出した分だけ、また新しいものが入ってくる。
そして多くの場合、本当に欲しかったものが向こうからやってくるようになる。
人でも、仕事でも、お金でも、実は全体量は変わらないんだ。

大切なことは「自分はなにが大好きか」をつねにハッキリさせておくこと。
それを人に伝え続けること。
目に見えないけれど、地球上に存在するこのすばらしい〝循環システム〟は、
モノも人も情報もチャンスも、大好きな人のところに集まるようにできているから。

「これくれるならあげる」から
「タダでいいからどうぞ」へ。

05

小銭入れを捨てる。

A Little Makes a Big Loss

覚悟を決めた大きな出費より、
自覚していない小さな出費の方が怖い。

CHAPTER:1

05 小銭入れを捨てる。

タバコやお酒などの嗜好品はもちろん、いつもなにげなく買っているペットボトルのお茶、ガムや飴、雑誌や新聞など、「買って当たり前」と思っている〝準日用品〟が、あなたがお金から自由になるチャンスを奪っている。

ぼんやりとしたお金の不安の正体は、決心して買った高価なモノというよりも、なにを買ったのかすら思い出すこともできないほどの小さな出費の積み重ねだ。

ぼくたちは、本当に必要なものへの出費は先送りしがちになる。

その一方で、たいしていらないモノや短時間の喜びのために、惜しげもなく小銭を放出してしまう。

どうすればいいか?

おすすめは買うか買わないかの、〝ジブンルール〟を持つこと。

たとえば、ぼくの場合、500ミリリットル以下のペットボトルは基本的に買わない。お金と資源の無駄だし、お気に入りのマイ水筒がある。さらにはテーブルに置いたとき、気持ちを高めてくれるようなデザインのペットボトルが存在しないからだ。

いっそ財布もやめて、ペーパーウォレットやマネークリップに持ち替えてもいい。

そうすると、小銭が邪魔になるので、小銭が増えるような買い物をしなくなるし、領収証が増えることが不快で買い物自体が面倒になってくる。そして、ポイントカードを持たなくなる。ポイントカードは持ち主を店に縛り付け、財布をムダに太らせるだけだ。

それでも、つい買おうかどうしようか迷ったら、自分の心に聞いてみてほしい。

「そのモノについて、自分は誰かに熱く語れるか？」

それが100円単位のモノであっても本気で語れないものは買わない。

心から好きなモノで身の回りを固めている人は魅力的だ。

「これから得られる〝便利さ〟と、これを持たない〝自由さ〟とではどっちが大事か？」

モノが一つ増えると、自由を一つ失う。その因果関係を忘れてはいけない。

そこまでして、手に入れたモノはきっとあなたを輝かせる。

「ないと物足りない」から「なくても別にいい」へ。

06

衝動買いを捨てる。

Listen to Your Soul

心から愛せるモノだけ手に入れよう。

買い物は、人生を豊かにするためのプロジェクトだ。

すごく欲しい、早く手に入れたい、もういてもたってもいられない、そんな風に心をときめかせるモノと出会っても、すぐに買ってはいけない。


まず自分に「この買い物は投資か？　浪費か？」と質問をする。

出すお金以上に価値があると思えたら投資だし、出すお金と同じ価値かそれ未満だったら浪費だ。

それはたとえ１００円の買い物だとしても同じ。小銭の放出を軽視する人は、大金を浪費することになる。「1円を笑うものは1円に泣く」という言葉はまさにそう。

買うと決めたら、次は学者か達人になったつもりでとことん調べる。

インターネットが充実したおかげで情報はあっという間に集まる。

ぼくの基準は、シンプルなデザインであること。

より軽量であること、薄いこと、コンパクトであること。そしてできれば2通り以上の使い方ができること。折りたためたり、重ねられたりして収納しやすいこと。

その上で、自分自身をアップグレードしてくれるかどうかを真剣に考える。

06 衝動買いを捨てる。

そこまで考えても「欲しい！」と思うことができたら、ひとまず家に帰って、ひと晩置こう。

そして翌日目が覚めても、まだ欲しい気持ちが残っていたら面倒でもまたそのお店に行くだろう。そして手に持ってみた瞬間、心がゾクゾクしたら即買い。もし売り切れていたら、次の出会いを待てばいい。

街は今、モノを買わせる仕組みにあふれている。

外からの刺激で反射的に「欲しい」と思わされたモノは、だいたいすぐにいらなくなる。

時間とこだわりを投入し、語れるほど愛せるモノだけを所有しよう。

「今買わなきゃ損する」から
「焦って買わなくて正解」へ。

07

「なんでもいい」と言う癖を捨てる。

You are What You Buy

節約ではなく、選ぶこと。

CHAPTER:1

07

「なんでもいい」と言う癖を捨てる。

お金に対する不安があるかもしれない。

かといって、なんでもかんでも節約をしようと考えるのはすすめない。

ダイエットにしろ、やりたくない勉強にしろ、ぼくらの脳はそもそも我慢し続けられる構造になっていないからだ。

人間というのは、節約を目的にした瞬間から「お金を派手に使いたい」という気持ちとの苦しい戦いを、無意識のうちにはじめてしまう生き物なんだ。

ランチは安ければいいというものじゃない。お金のかからない遊びがベストだというわけでもない。

他人より得しているかどうか、相場より安いかどうかも関係ない。


大切なのは節約じゃなくて、選ぶこと。

〝節約のための節約〟は長続きしない。

節約するなら目的をはっきりさせるべきだ。

バーゲンに出かけて、思いもよらないモノを買ってしまうなんて、お金と自分の人生に対して失礼だ。ビーチサンダル一つ買うにも、適当に間に合わせるのではなく本気を出さないといけない。

「なにか食べたいものがある?」「どこか行きたい所はある?」と聞かれたときに、「なんでもいい」ではなく「これ!」「ここ!」と即答できる準備をしよう。

誰かに決めてもらったら、痛みはない。

だが、それは自分の人生を放棄しているのと同じだ。

なにがやりたいのか? なにが欲しいのか? 答えられなければいつの間にか、自分が何者かも、よくわからなくなってしまう。

あらゆるジャンルの好きなことリスト、好きなものリストを作ろう。

それをいつも見返しながら、つねに自分の心で選択しよう。

そうすれば、本当にやりたかったことが見えてくるから。

「安いから買う」から「これだから買う」へ

08

付属品《オプション》を捨てる。

Natural Beauty

オプションを付けるより、
標準装備を使い込む。

なんとなくさみしい。なんとなく不安。

そう思って、なにかを足したり、貼ったり、置いたりしてしまう。

モノでいくら飾り立てたところで、心の穴は埋まらないし、個性をアピールすることはできない。

おまけに、後でなにかを付け足したモノは、たいてい使い勝手が悪くなってしまう。

モノは持ち主の役に立ってこそのモノ。

過保護に扱うのではなく、愛をもって傷だらけになるまで使い込むことで、モノは身体の一部になり、人生を豊かにしてくれる。その結果、モノに命が宿るのだ。

ぼくが乗っていた車は一年に一度もボディを洗わなかったし、ワックスをかけたこともなかった。

ぼくにとって車は装飾品やステイタスではなかったからだ。

しかし、同時に車は大好きな釣り場へつれていってくれる大切なツールだった。

林道で岩にぶつけまくっていたので外装もボロボロ。でも、雨漏りするようになっても、愛を持って乗り続けた。

CHAPTER:1

08 付属品を捨てる。

ミニマムな美を体現したiPhoneにカバーはいらない。体型にぴったり合うデニムをはけば、ベルトだって必要ない。オプションもトッピングもデコレーションもいらない。装飾はすればするほど〝濁り〟を生むが、シンプルさは、きわめればきわめるほど〝美しさ〟になる。人間も同じ。余分な飾りを捨て、産まれた頃の美しさを取り戻すことで、オリジナリティが際立つんだ。

「足せるものを、足すこと」よりも、「引けるものを、引くこと」を楽しもう。そうすれば、物理的・精神的にずいぶん軽くなる。

「よく見られたい」から「使い倒したい」へ。

09

〝生活レベルの向上〟という発想を捨てる。

Minimum Life Cost

お金から、感情的に自由になる。

CHAPTER:1

09 〝生活レベルの向上〟という発想を捨てる。

社会人になって、好きに使えるお金が増えると、多くの人が生活レベルを上げてしまう。

つい見落としがちなのは、なにか一つレベルを上げれば、合わせて全体的な出費がアップするということだ。

つまり収入がちょっと下がるだけで、生活全体のバランスが崩れてしまう。

それが恐ろしくて、収入の増減に一喜一憂するようになる。それでは、おどおどしたライフスタイルになりやすい。

お金から自由になるために、〝ミニマム・ライフコスト〟という発想を持とう。

一年間生活する上で、最低減必要なランニングコストはいくらか。

自分ひとり、または家族が健康的な食事をして、快適に眠る場所を確保する。そのためだけにいくらあればいいのか。

それさえ把握しておけば、ここぞというときに思いっ切り攻めることができる。

「失うことが〝なんとなく〟怖くて」人は挑戦できなくなる。

（挑戦しない人生に意味はあるのか？）

失ったらなにが怖いのかさえはっきりしていれば、妥協や迎合をせず、ギリギリのところまで勝負できる。

いざとなったらいつでも原点に還ればいいし、定期的にお金が出ていくものがあるなら、その習慣や契約を断ち切ればいい。


勝負の時は、いつ目の前にやってくるかわからない。

そのときのために、どれだけ〝ミニマム・ライフコスト〟を下げられるかが重要だ。

「どうなっても、生きていける」ことを確信した瞬間、人はお金から自由になれる。

「生活レベルを収入に合わせる」から「収入に生活レベルを左右されない」へ。

10

服の選択肢を捨てる。

Find Your Best Fit

自分の〝定番アイテム〟を決める。

〝自分の定番〟という考え方を持とう。

普段着はこれ、部屋着はこれ、フォーマルはこれ、という風に、極端に言えばそれぞれに〝マイベストの一着〟さえあればいい。

同じジャンルの服なら、結局、一番のお気に入りをくり返し着るからだ。

より自分らしい服と出会ったら、思い切って定番を取り替えたっていい。

〝まあまあの服〟は潔く処分して、つねに完璧な一着を残すようにしよう。

もし幸運にも、過去最高の〝定番服〟を発見することができたとき、値段は関係ない。

心からワクワクする色、素材、シルエットはなにか。

自分の体型、顔つき、肌や瞳や髪の色に合うものはなんだろうか。

まわりに笑われるほど入念にボディチェックして、じっくりと時間をかけ、足を使って、本当に自分に合ったスタイルを探求し続けよう。

自分らしいスタイルは、あなたに自信とやすらぎを与え、集中力をもたらし、思考をクリエイティブにしてくれる。

10 服の選択肢を捨てる。

そしてそれは、確実にまわりにも雰囲気として伝わるんだ。

今の体型をなげく必要はない。誰にだってそれぞれの体型に合った素敵な服がある。

たとえばアーティストだって全員スタイルがいいわけじゃない。

彼らがステージ上でいつも素敵に見えるのは、自分の体型に合った〝定番服〟を見つけているからであり、生まれ持った体型のベストをめざし努力をしているからだ。

ちなみにぼくの服の9割は、Tシャツとデニムとアウトドアウェアだ。

アウトドアウェアは頑強、軽量、高機能。快適で動きやすい。機能美を追求したデザインも最高。

「24時間のうちに四季がある」と言われ、人の命を簡単に奪うほどハードな天候変化が起こる山でも耐えうるアウトドアウェアは、一年中定番にすることができる。

「飽きたから新しい服を買う」から
「ずっと飽きない服を買う」へ。

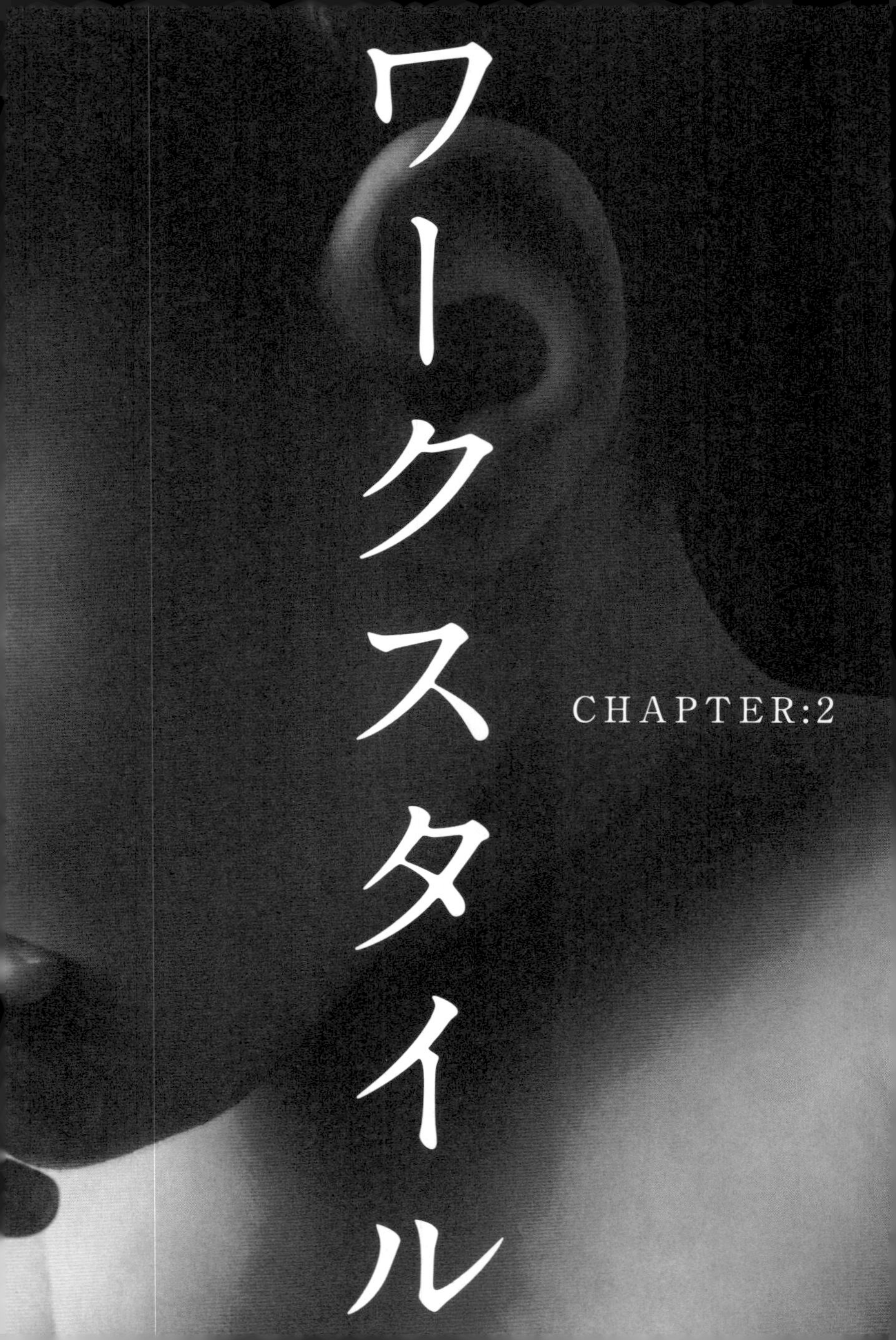

ワークスタイル

CHAPTER:2

難しい仕事って、面白い。
でも難しい仕事と向き合うためには、
絶対に、心と時間の余裕が必要だ。
だから、仕事をとことん楽しんでいる人は、
例外なく自分の行動と時間の無駄を探し続けている。
人生の役に立たないことを大事にし過ぎないこと。
やりたいことをやりたかったら、
やりたくないことを、どれだけストイックに削れるかだ。
自分のしたい仕事をする時間を、自分に与える勇気を。

11

不得意な仕事を捨てる。

Make Your Creative Time

〝仕事してる感〟しかない作業は
自動化する。

11 不得意な仕事を捨てる。

あなたなりに仕事にこだわって、丁寧に取り組んでいる姿は美しい。

ただ「すべて自分でやらないと気がすまない」という考えは生産性を下げ、チームの足をひっぱる。

自分らしく自由に働いている人は、仕事をシェアするのがうまい。礼儀正しく丁寧にお願いして、他の人に仕事を渡していく。

だからこそ、自分にしかできない仕事や、本当にやりたいことに集中できている。


〝自分がやるべき仕事〟だけに集中することが義務だと考え、自分が不得意な仕事は、それを得意とする人にパスしよう。

あなたが悪戦苦闘していたその仕事を、ある人はクリエイティブな才能を発揮し、またたく間に処理してしまうからだ。

それでも残った作業については、決して軽視してはいけない。

創造力を駆使し、心を込めて本気で取り組もう。

デバイス、仕組み、アプリケーションなどをフル活用して効率化をはかり、最短時間で終わらせる。

そうやって、あなたが〝やるべき仕事〟だけに集中できる美しい〝ジブン時間〟をなるべくたくさん作り出すんだ。

効率化で得られたジブン時間はすべて、「独創性（自分にしかできないこと）の追求」と「長期的な構想」を完成させるためだけに投資する。

つねに〝自分にしかできないこと〟だけにフォーカスし、社会に提供し続けること。

それだけが〝仕事〟と呼べるものだ。

職種は関係ない。

オリジナリティを追求するために人は生きるべきなんだ。

「なんでも手間をかける」から「手間をかけるべきところにかける」へ。

12

マルチタスク思考を捨てる。

Focus On

お茶を点てるように、
目の前のことに集中する。

先読みグセは〝心のよそみ〟だ。人生を台無しにする。

おいしいものを食べながら、次になにを食べようかを考えている。

仕事をしながら、仕事が終わったらどこに呑みにいこうかを考えている。

景色を見ずに写真を撮りまくり、後で楽しもうと考えている。

目の前にどんなにすばらしい世界があっても、別のことを頭に思い描いていれば、なにを見ても、聞いても、感じても、その味の本当の良さはわからないままだ。


ぼくの先輩に、同時になんでもこなしてしまうように見えるスーパービジネスマンがいた。

よく観察してみると、彼のやり方は単純明快だった。

やるべきことを、全部書きだして、それを順番に並べて、上から1つずつこなしているだけ。その「1つ」に取り組んでいるときは、2番目以降には見向きもしなかった。1つに集中するから、仕事のクオリティが高い。結果として次々と仕事が片付いていく。

仕事量を俯瞰《ふかん》する「鳥の目の自分」と、目の前のことに全力で向き合う「虫の目の自分」をはっきり使い分けていたんだ。

まずは、目の前の行為に意識を集中させよう。

あれもやらなきゃ、これもやらなきゃと飛び回らず、ただ1つずつ終わらせていくだけ。

もしなにか他に心配事があるなら、なおさら今、目の前のできることだけをやった方がいい。心配事に向き合うのはその次だ。

よく観察し、深く感じること。味わうのは後ではなく、今すぐ。

大切なのは明日でも今日でもない。

今、この瞬間だ。

その感覚に入り込んだとたん、誰もがすごい力を発揮する。

「次はなにする?」から
「今はこれだけ」へ。

13

アピールを捨てる。

Look at Yourself

楽観的に見積もる人に成功者はいない。

CHAPTER:2

13 アピールを捨てる。

「すぐやります！」「まかせてください！」

元気な返事をすれば、相手に簡単に喜んでもらえる。

20代は元気を出すしかない時期でもある。入社5年目までのぼくもそうだったからよくわかる。

しかし、やがてその元気が裏目に出る日がくる。

やりたい仕事を手に入れるために、時にはハッタリも必要だ。

ただ作業を楽観的に見て早めの納期を約束してしまったり、本音では無理かもと思いつつ「できます」と言ったりしてしまえば、それは、約束した時点ですでに信頼を裏切っていることになる。

気合いだけで乗り切ろうとするのは危険な行為だ。

抱えた仕事を押し付けられるのは未来の自分。

押し付けまくっていれば、だんだん自分のことがダメなヤツにしか思えなくなってくる。

当時のぼくがまさにそうだった。

抱えている仕事の量と心配事をつねに書き出しておこう。

頼まれたことを引き受けるのは簡単だが、断るのは難しい。だから、ちゃんと判断するためにも、背負っている荷物の量をいつでも目に見えるカタチで把握しておくんだ。

「ごめんなさい」「できません」を言うのは相手の表情が曇りそうで、気がひけるかもしれない。

でも勇気を出して、正確な状態を早めに伝えよう。たとえ不利であっても。

仕事で望まれているのは、やみくもながんばりではなく、時間がかかってもいいから、確実に予定通り目的地にたどり着くこと。

それができている人を上司は管理しようとはしない。

「とにかくがんばる」から
「きちんと仕事をするために」へ。

14

ToDo《やるべきこと》を捨てる。

Inner Quest

その「やるべきこと」は、
本当に「自分がやるべきこと」なのか。

今やらなければ、あなたの立場を危うくするほどの、

「本当にやらなければいけないこと」

はどれくらいあるだろうか。

忙しくしているとき、ふと気がつくとＴｏＤｏをただ〝消化すること〟に夢中になっている。

それもよくわかる。ＴｏＤｏを増やしていけば「次になにもすることがない」という不安が解消されるし、そもそもＴｏＤｏを減らしていく行為そのものが快感だから。

でも〝心からやりたいこと〟に直結していないＴｏＤｏは、人生のノイズだ。

ＴｏＤｏに生活を縛られ、それをこなし続けること自体が〝人生〟になる。

回し車の中で走り続けるハムスターのように。


本気でＴｏＤｏリストと向きあってみれば、その大半は「別に捨ててもいい」ことだということに気づく。

残ったＴｏＤｏは、集中力を研ぎすまし、創造力をもって最短時間で処理する。

大切にすべきはＴｏＤｏリストではなく、〝やりたいことリスト〟。

CHAPTER:2

14 ToDoを捨てる。

あなたの自由を奪う〝やるべきこと〟は自分の外側で勝手に増えていくが、人生を解放してくれる〝やりたいこと〟は自分の内側から生み出すしかないからだ。それは小さな声だから、聞こえたらすぐにメモを取る。

電車の中、入浴中など。他になにもできない〝ミニマムな精神状態〟は妄想力や欲望力が増すのでチャンス。

もしくは旅行やキャンプ中など、非日常的なことを体験しているときには、心の奥に眠らせていた声が拡大される。

行きたい場所、会いたい人、観たい映画、なんでもメモって、リストにまとめよう。

やりたいことリストは、自分らしい人生を自由にデザインするための羅針盤だ。

人はやりたいことをするために、生きている。

生まれたときは誰もがそうだったはずだ。その〝原点〟に立ち返るんだ。

「どうすれば不安がなくなるか?」から「どうすればもっとワクワクするか?」へ。

15

多数決依存を捨てる。

Sing for One

いけると思ったら、突っ走る。

15 多数決依存を捨てる。

仕事は、ひとりで完結するものじゃない。

ひとりでは終わらない作業もあるし、専門的な能力が必要になることもある。何度も声をかけ合いながら、お互いの立場に気を配りながらフォローし合いながらみんなで完成させていくものだ。


だが、ただ気を使うだけでは意味はない。

新しいプロジェクトについて、話し合いで、場にいる全員の希望を少しずつ採用していったらどうなるだろうか?

きっとみんなのニーズに合った機能はひと通り揃うだろう。

しかし、結果として、ものすごくコストがかかってしまったり、とりたててすごいところがなに一つない、誰にも喜ばれない製品が生まれたりするだろう。それは八方美人が結局、誰からも愛されないのと同じ。


多数決は最低だ。

全員から「まあまあのオーケー」をもらうような、適当な仕事はしない方がいい。

これはいける！　と心の声が叫んだら、みんなの顔色は見て見ぬふりだ。
心の声にすべてをかける。
同時に、すべての責任は自分が取ると覚悟する。
頭を使うのは、そのあと。
あらゆるケースを考え尽くし、〝心の声〟を徹底的に検証するんだ。

いくつか足りない部分はあるが、他にはない、とんでもない魅力がある。
そんなスゴイ製品は、誰かひとりの〝熱狂〟がカタチになったもの。
１００万人に届く歌は、誰かひとりのために創られた曲。
世界を変えられるのは、そういうものだけだ。
誰にでも人生に一度は、すべてを賭けて挑むべきプロジェクトがある。

「みんなにわかってもらう」から
「自分の気持ちを信じる」へ。

16

定時を捨てる。

Your Own Pace

まわりの予定に自分を合わせない。

仕事ができる人＝誰よりもたくさんの案件を抱え、誰よりも長く会社にいて、人の何倍も働いている人。

そんなイメージを持っている人は多いだろう。

徹夜してでも作業を終わらせるべきときもあるかもしれない。

たまには、深夜のオフィスでひとりがんばっている自分に酔ってもいい。

でも本当に仕事のパフォーマンスを上げたかったら、スケジュールに予定を詰め込むのではなく、なるべく〝削る〟ように意識するべきだ。

先々まで拘束される定期的なイベントはなるべく入れない。

移動距離にロスが出ないように予定を入れる。

予定と予定の間には、すきま時間を確保する。

好きに使っていい〝ジブン時間〟という予定も入れる。

明日やるべきことは今日やらず、体調を整えるためになるべく早く帰る。

大勢が行動している時間帯に合わせない。たとえば、残業ではなく早朝出社、ランチは11時半に行けるよう上司に掛け合う。

まわりと時間を〝ずらす〟だけで、あなたの日常の景色は突然変わる。

16 定時を捨てる。

ただでさえ忙しいのに、これ以上時間をコントロールなんてできない？

じゃあ、ためしに先延ばし可能な直近の予定をいくつか、勇気を出してキャンセルしてみよう（くどくど理由を説明しなくても、真剣にお願いすればＯＫをもらえるものだ。「体調調整」だって立派なキャンセル理由だ！）。

そしてその空いた時間を使って「自分は今なにをしたいのか？」「そのためにはどうすればいいのか？」を書き出しながら、自分と相談してみよう。

その間、もちろん仕事はまったく進まない。

しかし心の整理整頓ができた後、仕事に戻ると、不思議なことに猛スピードで仕事がはかどる自分がいるはずだ。

他人が作った時間割に縛られるな。自分で作る時間割は、自由への入り口だ。

決められた予定が足かせにならないよう、定期的にメンテナンスしていこう。


「お昼休みだからランチ」から「おなかが空いたからランチ」へ。

17

決め付けを捨てる。

No Change, No Future

誰でもない。
自分を縛り付けているのは自分。

17 決め付けを捨てる。

「こうしなきゃ」「こうあるべきだ」「こうしたい」「これはしたくない」といった〝ジブンルール〟は誰もが持っている。

〝ジブンルール〟を強調し続けることで、それがやがてその人のパーソナルブランドになる。

でもジブンルールは、定期的に見直すトレーニングをした方がいい。

ジブンルールを当然のことと思い込みすぎると、状況が変わってうまくいかなくなってきたとき、他の方法を考えにくくなるからだ。

ジブンルールはときとして荷物になる。

一度気に入った荷物を一生涯、持ち歩いてしまう人は多い。

それは「ためしに置いていってみる」といった発想がないから、いつまでも背負い続けることになるということだ。

「〜ねばならない」という言葉が頭に浮かんだら一瞬立ち止まろう。

そして小さく心のなかでつぶやいてみるんだ。

「本当にそう?」「違うかもしれない?」「もしかして別のプランの方がいい?」

人生の軸となる、ジブンルールはすごく大事。

でも自分の成長に合わせて、ルールを書き換えていくことはもっと大事。

以前と少しキャラクターの違う自分を許そう。

「自分はそういうタイプじゃない」といきがらず、ときには力を抜いて新しい自分を選んでみよう。

その結果が気に入らなかったとしても、意図を持って選んだ行動だったらいつでも元に戻すことができる。

無意識のうちに、無駄な重い荷物を背負い続ける方が危険だ。

もしうまくいったなら、また一つ、身軽な自分になれたってことだ。

「こうあるべきだ」から
「こうしたい」へ。

18

古い地図を捨てる。

Trust Your Instinct

自分のセンサーをとことん信じる。

みんなから総スカンを食うのが怖い?
自分のアンテナを信じる覚悟を持たない人は、
いつまでも他人の意見に振り回され続けるしかない。

いいものは、いい。

〝アタマ〟を信じるな。

マーケットリサーチの結果は、血の通っていない単なる二次情報で、得られる答えはいつでも中途半端だ。


目を閉じて、頭を空っぽにして、心の耳で聴く。

身体能力や才能は人によって差があるが、〝感じる力〟は完全に平等。

色とか音、言葉の響き、漠然とした感触、なんか気になるもの、どれが正解かを決めるのは心だ。

心臓が高鳴る、鳥肌が立つ、背骨が熱くなるといった〝身体が浮く〟ような感覚。

シンプルに、気持ちいいか、よくないか。ただその感覚にアクセスすればいい。

18 古い地図を捨てる。

多くの人の心に届く、エネルギーあふれるモノは、データや計算のカタマリではなく、もっと根源的な目に見えない〝なにか〟でできている。

言葉にならない想いは、説明しなくていい。とことん信じ抜くだけだ。

どれだけ惚れ込めるか、熱くなれるか。愛せるか。

〝過去の実績や業界の常識〟、そして頭で考えたことに最初から縛られてはいけない。

頭を使うのは最後。心のど真ん中にあるその衝動をカタチにするためだけに使う。

そのとき、脳みそは酷使し尽くす。頭痛で全身がしびれるくらいに。

この順番さえ忘れなければ、いつか必ず結果につながるから。


「今までどうだったか？」から「今どう感じているか？」へ。

19

先送り願望を捨てる。

Now is the Chance

気が重い、怖いは当たり前。

CHAPTER:2

19 先送り願望を捨てる。

やるか、やらないか。

〝やらない理由〟〝できない言い訳〟を考えたら、いくらでも別の予定や、悪い都合を生み出すことができる。

新しい行動は、いつもはじめる直前が最も気が重くて、怖いものなんだ。

後回しでいいんじゃないか？

自分にはふさわしくない？

やる意味は本当にあるのか？

そう思って先送りすればするほど、いざ跳ばなきゃいけないときのハードルは高くなってしまう。大切なのは、最初の一番小さなハードルだ。

人間の脳は新しい挑戦を〝させない〟構造になっている。

だからもっとも勇気を要する〝最初の一歩〟には全行程の半分以上の価値があるんだ。

低いハードルを跳び続けることで、本当に跳びたかったハードルを目前にしたとき、今までのトレーニングが実ったことを実感するだろう。

〝不実行〟こそが人生を不自由なものにする。
できないことより、やらないことの方が恥ずかしい。
とにかくまずは、頭を空にしてアクションを起こすこと。

うまくやらなくていい。
最初はもちろん下手くそだっていい。
不安なときはその不安を受け入れて、どうしたいかを明確にしてみる。
そうすれば不安は課題に変わる。
実際にやってみれば意外と簡単だったり、新しいヒントが見つかったりするものだ。
今いる場所がすべてじゃない。
まず、はじめてみよう。新しい世界、未知なる景色に必ず出会えるから。

「気が重いからやめよう」から
「やってみたらわかるだろう」へ。

20

バランス感覚を捨てる。

Be a Specialist

なんでもできる人をめざさない。

「人は一生でなんでもできるが、すべてはできない」

というぼくが大好きな言葉がある。

本当に〝できる人〟は、なんでもかんでもこなせる人じゃない。

目の前の仕事から好きになれるところを見つけて、それを自分らしく、迷わず、愚直なまでにやり抜ける人のことだ。自分にはこれしかないということを、否定もせず、悲観もせず、ただひたすらやり続ける。


人はパズルのピースと同じ。いびつだからいい。

へこんでいるところと出っ張っているところがあるから、人同士がつながり、補完し合って、大きなプロジェクトを成し遂げることができる。


「そこそこできたから他のこともやってみる」

「もっと極めたいからとことん続けてみる」

これが仕事の分岐点。どっちを選ぶかで人生が決まる。

人生は短い。

CHAPTER:2

20 バランス感覚を捨てる。

苦手は克服しなくていい。
そこそこできることは、もっと得意な人にお願いすればいい。
そのかわり、たった一つでいいから、
「我を忘れて没頭できる」「この話ならいくらでも語れる」
という分野に時間を注ぐこと。
〝世界一好きなこと〟を一つ決めて、そのことに時間を投資する。
あとは捨てる。
そう覚悟を決めた瞬間、人生はキラキラと輝き出し、誰でも自信にあふれてくる。
人間とはそういう生き物なんだ。

「うまくこなす」から
「これだけは絶対負けない」へ。

メンテナンス
CHAPTER:3

20代の体力は最高だ。
忙しいことが、誇らしい時期でもある。
やるべきことがいくら増えても、
徹夜で乗りきれそうな自信だってある。
でも自分がキャパオーバーになっていることに、
気づきにくいのが問題だ。
いつの間にか疲れ切った大人にならないように
いつ、どんなことがあっても、
静かなやる気をキープして、自分らしくいられるように、
身体と心の声に耳を傾けよう。

21

深夜を捨てる。

Rise and Shine

朝が決まると、一日全体が仕上がる。

CHAPTER:3

21 深夜を捨てる。

人生で最も大切なのは睡眠だ。

睡眠は今日の〝おしまい〟ではなく、明日の〝はじまり〟。寝ている間ずっと、身体は自らの免疫力を高めて、疲れを回復し、日中にためた精神的ストレスも浄化してくれる。

特に、身体がゴールデンタイムを迎えるのは睡眠中の午後10時から午前2時。この間に、成長ホルモンが脳から全身へ集中的に分泌され、筋肉と骨の合成を促し、皮膚を修復し、中性脂肪を代謝してくれる。

今の生活サイクルでは早寝が難しいという人も、週に1回でいいからその時間帯に眠ってみよう。疲れの抜け方が違うはずだ。

次に大切なのが朝。

街は真夜中も明るく照らしているため、生活リズムを狂わされがちだが、朝の光を浴びることによってセロトニンが自動分泌され、体内時計は一瞬でリセットされる。そして体内時計がリセットされた直後から、脳は〝活動モード〟に入り、集中力とクリエイティビティのピークに向かう。そのまま午前中いっぱいやる気が安定し、お昼から夕方に向かってゆるやかに低下してゆく。

やがて日光が弱まるとメラトニンが分泌されて〝休息モード〟に入り、そこから一気に集中力がなくなっていく。

朝の生産性が高いのは、人類が狩猟生活をしていた頃からの変わらぬ事実だ。太陽のリズムで生きることで、人間の生体活動と精神活動は高まり、仕事の効率、精神面、体調面、運気すべてにおいて循環がよくなる。

眠りがよければ、早起きはつらいものじゃない。

世界が最も美しく輝く朝焼けを見て、マイナスイオンが充満した朝の澄んだ空気を吸って、外に出て最も気持ちいい朝の光を浴びる。

忘れていた朝の感動に再会できると、起きることが楽しみになるだろう。

「まだ眠くない」から「暗くなったら、目を閉じる」へ。

22

〝質の悪い眠り〟を捨てる。

Be Hungry and Rest

眠るための環境をパーフェクトにする。

睡眠の質を高めるためには、空腹の状態で眠りにつくのがいい。

つまり一日に一度、身体を軽い断食状態にするんだ。

朝食をＢｒｅａｋｆａｓｔと呼ぶのは「ｆａｓｔ＝断食」を「Ｂｒｅａｋ＝やめる」という意味もあるほどで、眠るときはなるべく胃になにも入れない状態にした方がいい。

人類の歴史のほとんどにおいて、うまく食糧を調達できず一日中飢え続けていた人間の身体は〝空腹時に抵抗力が上がる〟という仕組みになっているからだ。

寝る直前に胃を空っぽにしておくことで、万全の状態で身体はウイルスや病原菌と戦うことができる。そして空腹の方が眠りは深くなり、爽快な朝を迎えられる。

また夜になっても、部屋のあかりは全部つけず、すこし暗めの方がいい。

ベッドのまわりは、自分にとって心地のいい、好きなモノだけで固めよう。余裕があるなら、マットレスやシーツを上質なものに替える。寝床は人生の3分の1近い時間を過ごす場所だからケチるべきじゃない。

眠れないときはテレビを消して、やさしい気持ちになれる映画を小さな音量で流

CHAPTER:3

22

〝質の悪い眠り〟を捨てる。

しっぱなしにしたり、好きな作家の短編集を片手に横になる。これはかつてのぼくの不眠症対策だ。

それでも眠れない場合は、目を閉じているだけでもいい。それだけでも、睡眠の60％くらいの効果があると言われる。だから焦らないこと。

要するに、日中ヘトヘトになるまで身体を使って、軽めの夕食を早い時間に食べて、すぐに部屋を暗くして、ゆったりとベッドに入る。

シンプルに〝地球人〟として生きればいい、ということだ。

それだけで、生活全体がいい方向に進んでいくことをすぐに実感するだろう。

「ちょっと夜食でも」から「おなかがすいたから寝よう」へ。

23

満腹を捨てる。

A Hungry Dog Hunts Best

〝食べ過ぎ〟に対応できる人間はいない。

23 満腹を捨てる。

若いうちは、たくさん食べてしまいがちだ。

それでも、健康を壊しにくいし、体型も崩れにくい。

おまけに、よく食べたり、飲んだりすれば、まわりに喜ばれたり、ほめられることもある。

だからダイエット中でもなければ、食べ過ぎを気にする若者は少ない。


食べ過ぎが定着する前に、「減ってないなら、食べない」と決めよう。

正午になったからランチ、夜7時になったから晩飯、ではなく本来は「減ったから食べる」が正しい。

多くの人は、ただ退屈や不安をまぎらわせるために必要以上の食べ物を食べている。

でも200万年という長い人類の歴史のなかで〝過食〟の歴史はせいぜい100年くらいの話。まだ人間の身体の構造は食べ過ぎに対応できていないのが事実。

野生動物と違って人間は食いだめができないため、食べ過ぎた分は体脂肪になるだけでなく、細胞や内臓を弱らせ、人体に深刻なダメージを与える。

最悪なのが寝る前の食べ過ぎ。現代人の〝24時間満腹状態〟というのが、あらゆる成人病のもとになっている。

出された料理は全部食べないと、「もったいない」と感じるかもしれないが、無理をして食べたところで、眠くなったり、胃が痛くなったり、病気になるだけだ。「よく食べる」のは全然偉くない。

社会福祉先進国のデンマークでは、〝肥満税〟が課税されているほどだ。

ある年齢をすぎると、人は体型と健康を崩しはじめるが、それは突然の出来事ではなく、20代から続けた食習慣の結果である場合は多い。

三食にとらわれることなく、空腹を待ってからゆっくり食べよう。

「もっと食べられる」から「本当にまだ食べたい？」へ。

24

ワンパターンな日常を捨てる。

A Little Special Changes Everything

昨日と違う生活をしてみる。

起きたら、朝の空気にめいっぱい触れる。

同じ日は一つもない。

空の色、スズメのさえずり、街が動きはじめる気配、風の動き。

地球の小さな変化を感じようと意識を集中すると、五感が目覚めはじめる。

朝日がのぼるとともに、ＭａｃＢｏｏｋを持って公園に出かける。

自然とつながりながらのひとり会議は最高だ。

世の中が動き出す前が、もっとも自由を感じられる時間。

ラッシュの前に、誰よりも早く出社する。昼食の時間を早め、仕事も早めに切り上げる。

夕食はまだ人が混み合わない、お店の開店直後からはじめる。

大好きな仲間と、いつもと違うお店で、いつもと違う話題で盛り上がる。

明日も早いからと少し早めに店を出る。

駅からいつもと一本違う道を歩いて帰る。

家に着いたら、すぐシャワーを浴び、寝間着に着替える。

お茶を淹れて、好きな音楽を聴きながら、明日の準備をはじめる。

CHAPTER:3

24 ワンパターンな日常を捨てる。

そして消灯。
こんなに早く？　と感じる時間にベッドに入るのが最も贅沢な瞬間。

日没後、脳は活動をやめようとする構造になっていて、
夜は思考がネガティブになるから、悩み事は明日の朝にまかせて就寝。
そしてまた、夜明けとともに、まったく違う一日がはじまる。

少しだけ、生活パターンを変えてみる。
たったそれだけのことで、負の循環から抜け出して、時間に追いかけられることなく、すべての時間を自分のものにすることができる。

「なんかいいことないかな？」から
「今日はどんな楽しい一日にできるだろう？」へ。

25

他人の気配を捨てる。

Be Yourself

ひとりで森に出かけよう。

CHAPTER:3

25 他人の気配を捨てる。

ぼくが街でひとり暮らしをしていた頃、つねにまわりにはたくさんの人がいる気配があった。

あらゆる種類の音が聞こえてくるし、外は夜でも明るかった。

そしてなぜか、言葉にできない圧迫感、焦燥感に襲われていた。

部屋にひとりでいると、まわりの人の気配を感じてむしろ孤独に耐えられなくなる。

誰かがいるから、孤独を感じるんだ。

きっと当時、部屋の中も人生もノイズだらけで、余計な荷物を背負いすぎていたんだと思う。

その分だけ思考が複雑化して、いつも無意味なことで悩んでいた。


週末に街を離れる。そして森へ向かう。

森の中。半径数百メートル以内に誰もおらず、虫の声と風で葉がこすれる音しか聞こえない。

それなのに、まったく孤独を感じない。

テントを張ってたったひとりで一晩過ごしていても、

不思議と「誰かとつながっていたい」という気持ちは全然湧き上がってこない。

ゆったりと呼吸することができる。

時間とともに思考がとことんシンプルになり、複雑にからみ合っていた悩みのすべてがどうでもよくなってくる。

毎日、やるべきことをこなすだけで時間がない。

でも時間がないから、落ち着けないいんじゃなくて、落ち着かないから、時間が持てないんだと気づく。

ひとりで街から離れて、なにも考えずに自分の心と向き合う時間。

まったくノイズのない大自然の景色が、散らかった心をリセットしてくれる。

木々の香りがただよい、野鳥たちのさえずる地球の上で、自分が今生きていることを確認してみてほしい。

「森に行っている暇なんてない」から
「時間をとって森に出かけてみよう」へ。

26

〝常識〟を捨てる。

Stay Foolish

「芸術の時間」を予定に入れよう。

誰もが〝芸術性〟〝創造性〟を持っている。

けれど、言葉の響きが高尚すぎるからか、多くの人が自分の〝芸術性〟〝創造性〟を認めたがらない。

「アートでは食っていけない」「アーティスト気取りは恥ずかしい」といった風潮や、学校の先生とか、親や友だちの〝マトモ〟な助言が、あなたを芸術の世界から遠ざけてしまったのかもしれない。

他人と違うところを見せるのが怖いという気持ちが、あなたの中の〝アーティスト性〟を封じたというのもあるだろう。


自分自身を思い出すための時間、〝アーティストタイム〟を週末に作ろう。

この時間は、自分の正体を知るためのトレーニングだ。

絵や音楽やダンスなどの創作活動をはじめろと言っているわけではない。

ただ、自分の心とつながるだけだ。

心を静かにしたときに、自然にわきあがってくる衝動をさらけ出してみればいい。

きっと、今までずっと放置していた欲求が息を吹き返すだろう。

26 〝常識〟を捨てる。

〝アーティストタイム〟なんて、マトモな人のする行為じゃないって？

〝マトモな人の感覚〟とは、他人が勝手に作った常識のことだ。

他人の常識を手放さないと、いつまでも自分らしさを取り戻すことはできない。

ほんのわずかな時間でもいい。他人の目を一切気にしない、自分のためだけの時間を作るんだ。


心の声はとても小さい。ノイズが少しでもあると聞こえない。

外の情報を遮断し、ノイズを消去し、声も、テレビも、文字もない世界で。

身体の緊張をとき、あるがままの姿を思い出せ。

「どう思われるか？」から
「なにが出てくるか？」へ。

27

言葉の汚れを捨てる。

You are What You Say

へとへとになるまで歩いて、
言葉を捨てる。

CHAPTER:3

27 言葉の汚れを捨てる。

ふだん、どんな言葉を使っているだろうか。

生活に疲れてくると、頭の中に嫌な言葉が充満してくることがある。

「なんで自分ばっかり」「あのひと言が許せない」「なにがこんなにイラつかせるんだろう」

そういう攻撃的な言葉は自分の中に染み込んで、ますます乱暴な雰囲気を作り出していく。

そして使えば使うほど、ヒートアップしてしまうのが言葉の怖いところ。

そこから脱却する一番簡単な方法は、今いる場所から移動すること。

いったん今やっていることを断ち切って、外に飛び出してみる。

外気を思いっ切り吸い込んで、夜空を見上げてみよう。

ゆっくり歩きながら、月に照らされた雲の動きを目で追ってみる。

雲は風の存在を教えてくれる。空はもっとも身近な大自然だ。

深い空。大気が頬をなでる感触。街からも見える星の存在を感じる。

すこし落ち着いてきたら、自分の感情を静かに眺めてみよう。

まるで空の上から自分を見下ろすような感覚で、ただぼんやりと。

すると「自分が、自分が」となっていたモードから、するっと抜けられる瞬間がくるはずだ。

なかなかイライラが収まってくれなかったら、いっそ次の休みにどれくらい遠くまで歩けるか試してみよう。

歩くという行為が、人の思考をより素朴に、シンプルにしてくれる。

歩けば歩くほど、思考から無駄なノイズがそぎ落とされ、新しく起こすべき行動のアイデアが明確になるということだ。

多くの人は、歩く時間が短すぎる。

もし自分らしいリズムを見失ったなら、まず歩く。

長い距離を歩くと、自分の力だけで前進していることを実感できる。

この地球に生まれたものとして、本来の自分を思い出すために歩くんだ。

「なんで？　なんで？」から「どうしたら良くなるか？」へ。

28

根性という概念を捨てる。

Long Slow Distance

頂上にたどり着くだけではなく、
道のりのすべてを楽しみたい。

仕事をいくつも同時に抱え、気が休まらない人は多い。

社会人になると、いつも短期的な成果を求められ、気づかないうちに限界以上の仕事を背負わされてしまうからだ。

毎日の無理はちょっとずつ重ねることができる。

〝無理〟は続けていくと〝慣れ〟に変わり、やがて〝慣れ〟は〝日常〟となる。

そのうち自分が今苦しいのか、疲れているのかどうかもわからなくなってしまう。

どんなに仕事が楽しくても、疲れ切る前に休むのが、仕事を楽しみ続けるコツだ。


登山の世界では、身体が発するかすかな悲鳴を聞き逃すと、命取りになる。

呼吸が乱れたら休憩かペースダウン。膝に重みを感じたらストレッチ。発汗したら服を一枚脱ぎ、塩をなめる。山では、喉が渇いた時点で脱水症状なんだ。

わずかな異変をすべてケアすれば、山道を一週間歩いても疲労感はない。


かつて、登山とは苦しいものだと教えられた。山頂に立って絶景を目にするまでは、途中どんなにつらくても無視して根性で歩けと叱咤された。

28

根性という概念を捨てる。

それは、社会人として身に付けさせられた価値観と同じだ。

でも時代は変わった。

「寝不足や体調不良を我慢しろ」なんて、もはやありえない。

毎日自分の身体、そして心に気を配り、わずかな違和感をちゃんと感じ取ること。

それが仕事で結果を出すための最善策なんだから。

重荷に耐えて生きるのが社会人だと思っていたら、いつまでも途中のすばらしい景色を味わえないよ。


「いかに大変か」から「どうしたらもっと楽しめるか」へ。

29

〝勉強のための勉強〟を捨てる。

Studying is Just a Tool

心を重くする勉強は意味がない。

CHAPTER:3

29 〝勉強のための勉強〟を捨てる。

「とりあえずやっておく」という勉強や資格ほど無駄なものはない。なんの役にも立たないどころか、大切な時間とお金と気力を奪っていくものだから。手に入れるべき資格や知識は、自分が向かいたい方向に対して、それが必要かどうかだ。

ただ、向かいたい方向がわからないのなら、「デジタルデバイス」「ソーシャルメディア」「コミュニケーション英語」の活用術を学ぶことだ。

「英語」は難しい？　それは刷り込まれたイメージだ。

今、世界で実際に使われている英語は変わってきている。たとえば、海外のウェブサイトの英語もどんどんシンプルになってきている。世界で起こっている新しいグローバル化によって、「英語が母国語じゃない人たちがコミュニケーションするための英語（Ｇｌｏｂａｌ Ｅｎｇｌｉｓｈ）」がスタンダードになってきているからだ。

ビジネスでハードな交渉やプレゼンでもしない限り、旅、長期滞在、海外生活レベルに難しい英語はそんなに必要ない。

ここでは四角式ミニマム英語学習法を紹介しよう。

【基礎1】自分の中学校の教科書で日常会話の基礎を学ぶ。

方法はシンプル。中学生の教科書に出てくる単語、文法、構文、ライティングはすべて身に付ける。難しいと思っていた中学英語が、大人になってから復習すると驚くほど簡単なことに気づくだろう。実は日常英会話レベルだとここまでで十分。

【基礎2】自分の高校の教科書でリーディングを学ぶ。

高校生の教科書レベルの文章は読めるだけでいい。そのために単語はできる限り覚えた方がいいが、日常には使わないアカデミックな単語は捨てていい。難しい文法、構文はパス。全部覚えて完璧に使えるようになろうと思ったら一生かかる。

【実践1】NHKラジオの英語教材でリスニングを学ぶ。

『入門ビジネス英語』が安くて、質が高い。中高で学ぶ英語の延長線上にある〝生きた英語〟を学べる。音声とテキストをｉＰｈｏｎｅにダウンロードし、毎日15分ずつ聴こう。一度にまとめ聴きしてもリスニング能力は身につかない。もう一つ上のレベルに行きたい場合は『実践ビジネス英語』にトライ。これはストーリーが面白いため、

CHAPTER:3

29

〝勉強のための勉強〟を捨てる。

自然に続けられる。全部聴き取れなくても、次に進むこと。リスニングをクリアすれば英語力は8割完成。

【実践2】好きな映画を字幕付きで何回も観る。

まずは〝日本語字幕〟をオンにして一気にすべて観る。次は〝英語字幕〟をオンにして毎日少しずつ観る。同じ映画を何回も観ていると、その国独特の言い回しや会話の型を覚えられるようになる。ここまでくると英語は楽しくなっている！

【実践3】照れず恐れず、とにかく英語で話してみる。

いま世界では、英語人口がどんどん増えている。その多くが英語を母国語としない人たち。彼らが話す英語をよく聞くと、実は文法も発音もめちゃくちゃで、ボキャブラリーは日本の中学校レベル。それでもちゃんと言いたいことは伝わってくる。

要は、相手の目をしっかり見て、身振り手振りを加えてとにかくしゃべること。そうすれば、だんだん通じるようになってくるんだ。

英語がぼくの人生を自由にしてくれた。

ニュージーランドの永住権を取得するためには、英検一級レベルの英語力が必要だった。

勉強が大きらいだったぼくが、唯一英語だけは必死で勉強したんだ。

「とりあえず知識を付けよう」から
「必要な知識を付けよう」へ。

30

雑音を捨てる。

Hear the Silence

瞑想ほど簡単な、頭の整理術はない。

なにかに心を集中させるために。

心身の静寂を取り戻すために。

一番簡単にできることは、〝瞑想〟だと思っている。

瞑想っていうと、「え?」と、ひいてしまう人もいるかもしれない。

でも基本は、静かなところで目を閉じて、ゆっくり呼吸をするだけ。

深呼吸のちょっとこだわったレベルの、気楽なものだと考えてほしい。

「頭の中を無にする」にはちょっとしたコツがいるんだが、あるとき山奥で出会ったネパール人から、いいやり方を教えてもらった。

まずあぐらをかく。

それから両手を上に向けてひろげ、両ひざの上に置き、親指と人差し指の先をちょこんと触れさせる。

目を閉じて、ゆっくり呼吸をはじめる。できるかぎり深く、そーっと。

耳は、自分の呼吸音だけに集中させている。イメージは呼吸だけを丁寧に追跡していくような感じで。新鮮な空気が鼻の穴に触れ、管をとおり、肺をふくらませていくまでゆっくりと。そして吸うときよりも、吐くときに、特に集中する。

30 雑音を捨てる。

そのあと頭の中で、イメージを髪の先から頭皮へ、頭皮から頭蓋骨へ、それから脳、眉毛、まぶた、まつげ、眼、鼻、唇、あご、のどの奥……という具合に身体のパーツ一つひとつ、上から下へと意識を移していく。

足のつま先までいったら、その次は自分が着ている服を、それから自分がいる部屋を、その部屋がある建物を、建物があるすぐ外を、近所を内包する町を、区や市を、都道府県を、日本を、地球をとゆっくり意識のカメラを外に向けて引いていく。

まずは10分。目標は30分。

時間をかければかけるほど、瞑想状態は美しくシンプルに仕上がる。

すると心だけでなく、不思議なことに体内までも、とにかくすっきりするんだ。


「考えないようにする」から「自分の心を観察する」へ。

CHAPTER:4

人間関係

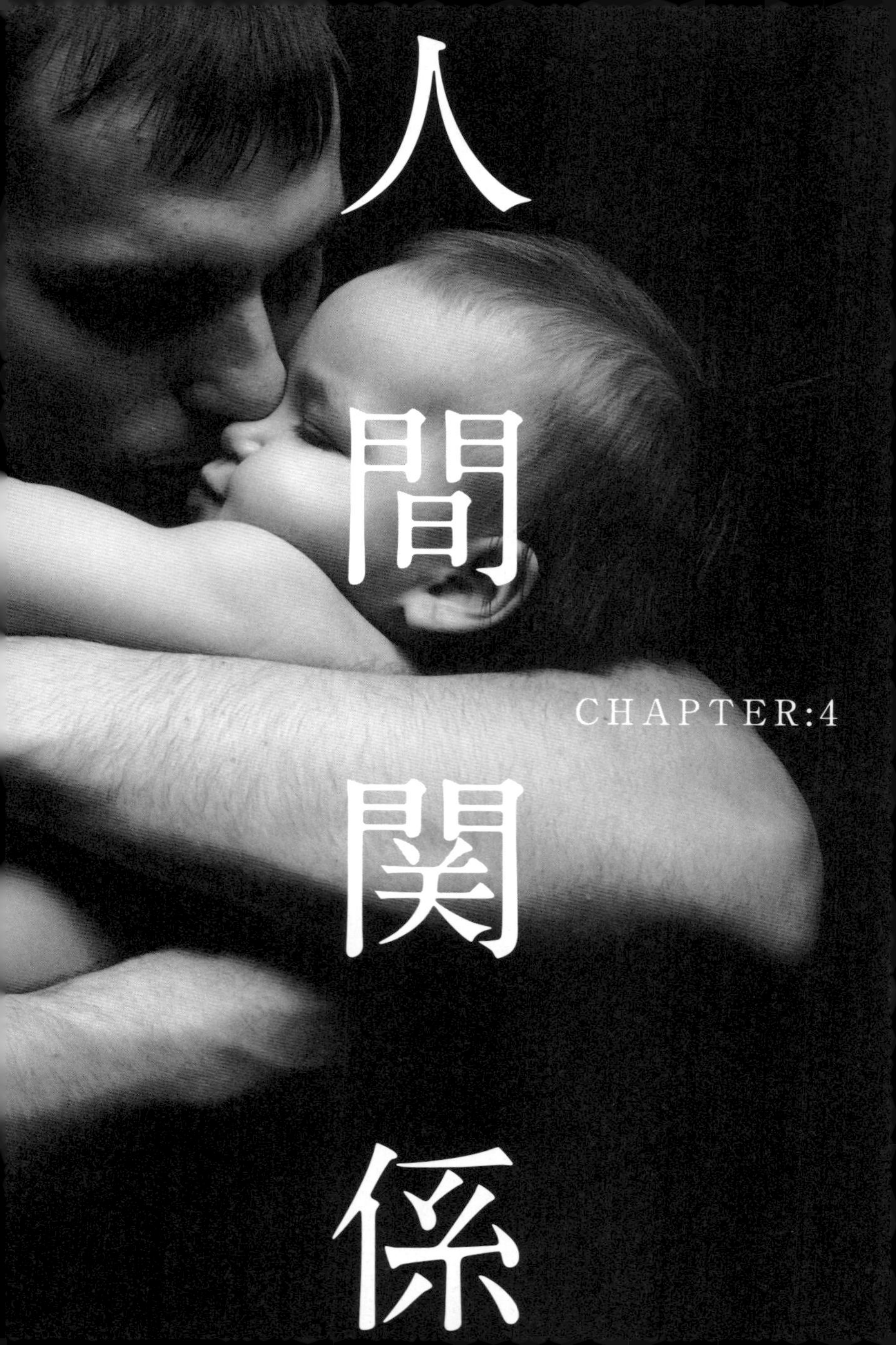

付き合いが悪くてもいい。
うまく話せなくてもいい。
味方はひとりいればいい。

大勢とのつながりよりも、
自分らしさを引き出してくれる、
本当の仲間だけを大切に。
あとは自分のことに集中すればいい。
そうすればネガティブオーラなんてすぐに消えるよ。

31

人脈を捨てる。

Off the Road

変人は自由。無駄な誘いがこなくなる。

CHAPTER:4

31 人脈を捨てる。

「断る」というのは、かなりのパワーを消費する行為だ。

積極的にまわりの人とお付き合いをした方がいい。そういう価値観もある。

たとえ心がつながっていない便宜上の人間関係でも、いつ誰のお世話になるかわからないからコミュニケーションを絶やすなという考え方だ。

でも無理に明るく振る舞って人に調子を合わせ続けるくらいなら〝付き合いの悪い奴〟というレッテルを貼られた方がマシだ。

付き合いを断って確保した貴重な時間を、自分や大切な人のために費やした方がいい。


メールが来て、返事をしないのは気が引ける。

電話も応答せずにいるのは難しい。

人とのつながりが生まれると同時に、自分の時間を失う。

つまり人生の一部が、他人の持ち物になってしまうんだ。

そもそも〝単なる知り合い〟はそんなにたくさん必要ない。

広く、浅くの人脈がもたらしてくれるものは、知り合いがたくさんいるという安心感だけ。

集めただけの名刺の束に意味はない。なにも創造してくれない。

「あいつはちょっと変わってる」と思われたっていいじゃないか。

変人になると少しだけ孤独になるが、他人に合わせるための仮面から解放され、本当に大切な人が誰かがわかるようになる。

ソーシャルネットワークの力によって、そんな変人同士がつながれるようにもなった。

自分の趣味、興味、考えていることを発信すればするほど、深く理解し合える仲間と出会いやすくなっている。

変人同士は出会った瞬間にわかる。しかも、お互いに。

人脈を惜しむ心を捨てれば、捨てた以上のすばらしい出会いが待っている。

「空いているから入れる約束」から「どうしても外したくない約束」へ。

32

〃なじみ〃を捨てる。

Leave Your Home

孤独に慣れろ。

なじみの人といる時間は楽しい。

一緒に盛り上がったイベント、苦労を分かち合ったプロジェクトなど、そのときの感覚や感動が瞬間的によみがえり、幸福感を味わうことができる。なじみの仲間との気を使わなくていいひとときには、やすらぎがある。


でも、いつかはその〝なじみ〟を捨てるべきときがくる。

それは「今、情熱を持って取り組んでいること」について話せる人と、そうじゃない人に分かれたタイミングだ。


仕事や社会に対して愚痴を言いたい人は、時間をかけて次第にそういうグループでかたまっていく。

〝今〟に集中し人生を心から楽しんでいる人は、どのグループに属さなくてもよくなっていく。

お互いにとって、気持ちいいところにいればいいと思う。

32 〝なじみ〟を捨てる。

なじみのグループから離れるのは、引け目や罪悪感、せつない気持ちも生まれるだろう。

その感情と、どう向き合えるかが、より自由に生きるための試験だ。

今いるところが、世界のすべてだと思ってしまいがちだ。

だが地球はでかい。もっとワクワクする世界は無限にあるんだ。

「あのときはこうだったな」から
「さあ、いこう」へ。

33

ゴールデンウィークを捨てる。

Real Freedom

そろそろ真剣に休み方を考えてみない？

CHAPTER:4

33 ゴールデンウィークを捨てる。

お盆、ゴールデンウィーク、年末年始、大型連休……。ほとんどの人が定められた休みの日に、お約束の行楽地に押し寄せる。海水浴でも温泉でもスキーでも同じ。そのレジャーに求めていたはずの感動と、何時間にもおよぶ渋滞や行列の苦しみとの間にギャップがありすぎる。

その体験は、はたして払ったお金と、労力に見合っているだろうか?

休みを他人とずらそう。

土日に休むのではなく、月に一度〝金土〟もしくは〝日月〟に休みを取ろう。全力を尽くして、週末4日プラス平日5日という自分だけの9連休を取ろう。

そんなの無理だという人がいる。

もちろん簡単ではないが、その価値は保証する。ピークを外した〝ジブン連休〟は至高の時間だ。

いつもの街が、旅先の景色が、光輝いて見えるだろう。

〝ジブン連休〟を取るのは一年がかりのプロジェクトだと考える。

過去数年の年間スケジュールをよく研究した上で、一年先の休みを宣言する。

この宣言はつねに最優先だ。予定外の仕事が入ってきそうになったら、「そこはどうしても外せない用事が入っているからダメです」とその場で即答する。

大切なポイントは〝その場で即答〟すること。いったん持ち帰ったり、少し考える、というスタンスでいたりすると、断りにくくなる。即答することで、「ああ、かなり前から重要案件が入ってたんだ」と相手の納得度を上げられるので、〝ジブン連休〟を死守することができる。


自分で創り出した自分の時間。

その時間を何に使うかが、自分が何者であるかを決めるんだ。

「休みになにしよう?」から
「これがしたくて休む」へ。

34

ときどき〝他人の目〟を捨てる。

Unlock Your Heart

毎回こちらから先に心を開こう。

ぼくは元々赤面症で、初対面の人の前では異常に緊張する人間だった。

でもあるときから、怖いときほど、自分から想いをさらけ出した方が楽だと知った。

感動してどうしても伝えたいことがあって、うまく言葉にできなかったが、とにかく話し続けたことがあった。あいかわらず顔も赤くなったし、言葉はたどたどしいまま。「とにかく、スゴイんっすよ！」と言い続けていたら、ふと自意識と恥の意識から解放されたんだ。

その瞬間から、人と話すことが怖くなくなっていることに気づいた。

なにか知りたかったら、「教えてください」と自分からまっすぐにお願いしよう。

誰かと仲良くしたいなら、その好意をさらけ出そう。

最初はうまくいかないことの方が多いかもしれない。

でも、少しずつでもいいから、自分をさらけ出す時間を持とう。

人間と動物の差はなにから生まれたのか。文化人類学によると、火を使ったこと、道具を使ったこと、言葉を使ったことなどの説がある。

でもぼくが大好きで勝手に信じている説は、「歌ったこと」というやつだ。

歌うことによって、人間は他の動物とは違う存在になったという。なにかが心の中

34 ときどき〝他人の目〟を捨てる。

で弾けたとき、その感情を叫ぶしかなかった。水が不足すれば、雨が欲しいと空に向かって叫んだ。好きな人に気持ちを伝えたくてどうしようもなくて、耐えきれずに叫んだ。

それがやがてメロディを添えるようになり、感情に音色を付けるようになり、歌になったという。

一流のアーティストたちに共通すること。それは「すべてをさらけ出すこと」に対して、勇気があるだけでなくまったく迷いがないこと。

彼らにも、ダメなところ、弱いところはいっぱいある。それでも、舞台に立った瞬間、すべてをさらけ出すことができる。

一万人の心に気持ちを届けられるのは、歌のうまさではない。

ありのまま、まっすぐに想いを伝えたい、その感情を解放できる情熱だけだ。

「どう思われているか」から「いかに伝えたいか」へ。

35

「みんな平等」の精神を捨てる。

Your Soul Mate

大切にすべき人をちゃんと決める。

35 「みんな平等」の精神を捨てる。

多くの人たちと関わり合いながら生きている。

毎日会っている人、定期的に会っている人、直接会ったことはない人、もうしばらく会っていない人。

この先の人生を、もっとシンプルに、もっと自由に生きていくために、自分はいったい誰を大切にすればいいのか。


答えは簡単。


それは、「自分のためにリスクを引き受けてくれたことがある人」だ。

今後なんの役に立つのか、なんの得になるのか、まったく先が見えなかったときに、時間、お金、パワーを、自分のために惜しげもなく使ってくれた人だ。

古来、その人のことを〝恩人〟と呼ぶ。

その人だけは、特別扱いしてもいい。

いくらまわりから反感を買っても気にすることはない。

何年もかけて、あなたが持っている時間とお金とパワーは、その人のために注がれるべきものだ。

いちいち損得を計算する人間とは付き合う必要はない。

自分が調子のいいときは近くにいるけれど、ほんとうに助けて欲しいときに、そういう人は一目散に逃げ出していくものだから。

恩を恩で返すことに、なんの躊躇もいらない。

「おまえがそこまでいうなら」と笑顔で力を貸してくれる仲間だけを、思いっ切り大切にしよう。

「みんな呼ぼうよ」から
「あいつ呼ぼうよ」へ。

36

ちっぽけな反骨心を捨てる。

A Little Step for a Big Jump

伝統的なマナーは身に付けてしまえ。

朝「おはようございます」という。

なにかしてもらったら、お礼をいう。約束の時間に遅れそうになったら、事前に連絡する。ごはんは行儀よく食べる。一番偉い人を最初に通す。目上の人にタクシーの上座を譲る。名刺をちゃんとした作法で渡す。

常識知らずの10代を過ごしたぼくは、20代になってそういう当たり前の〝礼儀作法〟を必死になって身に付けた。

20代は大人のビジネスマナーを身に付ける時期でもある。

マナーの中には一見、馬鹿らしいと感じるものもあるかもしれない。

だからといってそのまま無視していると、自分の知らないところで誰かを不快な気持ちにさせて、自分が損をしているかもしれない。

作法がなっていないというだけで、ものすごく冷たく対応されるのが社会のつねだから。

どんなに仕事ができる人でも、どんなに魅力的な人でも、「たった一回の無礼」だけで印象を台無しにしていることは多い。

36 ちっぽけな反骨心を捨てる。

古いマナーに縛られる大人は自由じゃない？

そんなことはない。

マナーの本質は、相手の立場に立って思いやりある振る舞いをすること。

マナーという〝型〟を身に付けてしまえば、必要以上に気を使わなくてもいいからよっぽど楽。

それに自由に生きている人こそ、そのことをよく理解し、伝統的なマナーを身に付けているものだ。

100年以上大切にされてきた礼儀作法には、人間関係がぎくしゃくしないための先人の知恵が凝縮されている。

完璧で美しく、合理的なんだ。

いつ身に付けたとしても、早すぎることはないし、遅すぎることもない。


「今さら面倒くさい」から「ちゃんとしておけば自由」へ。

37

メールのチェック癖を捨てる。

Shut Out

メールと電話はなるべく排除する。

CHAPTER:4

37

メールのチェック癖を捨てる。

多くの人が、メールチェックに大量の時間を費やしている。

会議でも、作業中でも、メーラーを開きっぱなし。しかも、受信トレイにはのぞまないメールが山ほどたまっている。

自分から求めていない情報はすべてノイズだ。

来るものすべてにいちいち反応していたら、そのたびに集中力が遮断されるし、だんだん自分がなにをしたかったのかも忘れていってしまうからだ。

まずは、気づけば勝手に増えている「メルマガ」をいったんすべて購読解除する。いったんリセットするために、メインのメールアドレスを変えてもいい。

その上で自分と向き合い、本当に欲しい情報はなにかを考える。

また、〝メールチェックする時間〟を決める。

ふだんは早朝と、夕食前だけ、もしくは〝今日はいつでもすぐにメールを返信する〟という日があってもいい。

大事なのは〝ついメールチェック〟ではなく、ちゃんと自分の意思で決めることだ。

電話も危険だ。自分の時間に土足で踏み込ませるのと同じ。かかってきた電話すべてに出ていたら、目の前の大切なことと向き合えなくなる。

電話が鳴ったら、いったん必ず「今、この電話に出るべきかどうか？」と自分の心に聞いてみよう。

親友からのメールだから、大事なクライアントだから、即答しなきゃいけない？

本当にそうだろうか？

情報やコミュニケーションに対して〝受け身〟というスタンスは完全に捨てよう。

あなたは24時間、電話やメールにつながれているわけじゃない。

本当に大切なことはいつも目の前にある。

「連絡ください」から「こちらから連絡します」へ。

38

ライバル心を捨てる。

Chase Nobody but Yourself

「勝ちたい相手」はゼロでいい。

年齢、職業、立場を問わず、誰だって「誰かに認められたい」という欲求を持っている。

でも誰かに認められようと、自分を誇張したり、他人を貶《おとし》めようとしたりするのはカッコ悪い。

負けたくないなら、勝とうとしなければいい。

勝とうとして燃え上がるから、負け犬根性が芽生えてしまうんだ。

この人より勝《まさ》っているかどうかとか、今何番目だとか、負けている分を取り返そうとか考えない。

隣の芝生は青くない。

自分のテリトリーだけに集中しよう。

他人の目を気にして、いい家に住んだり、いい服を着たり、いい車に乗るよりも、自分が落ち着ける空間にいて、自分の気持ちを上げてくれる音楽を聴きながら、自分の好きなことに没頭している方がよっぽどいい。

CHAPTER:4

38 ライバル心を捨てる。

他人の居場所を気にせず、自分がいいと思う方向に進んでさえいれば、勝ち負けなんてどうでもよくなってくる。

生き方においては、自己満足をめざしたヤツが最強だ。

つねにめざすべきは、勝ち負けではなく、自己ベストだ。

まわりを見るな。向き合うべきは自分の心だ。

自分を楽しませることさえできていれば、まわりにすばらしい仲間が集まってくるようになっているんだ。

「あいつには勝ちたい」から
「自分のスタイルを楽しむ」へ。

39

「すいません」の盾を捨てる。

Dig the Root

すぐに身を守ろうとしない。

CHAPTER:4

39 「すいません」の盾を捨てる。

なんでも非を認めると楽だ。

会議に5分遅刻しても、書類のサインを間違えても、伝票の数字を見落としても、しっかり目を見て、「すいません」と言い切れば多くのことが許される。

だけど「すいません」を言いすぎると、思考停止におちいる。

言葉から魂が抜けて、発言が軽くなるし、まわりの信頼を失う。それだけでなく、自分でも、自分を信じられなくなってきてしまう。

もちろん誰だってミスはある。

悪いと思ったら、すぐに謝るべきだ。

問題は、「すいません」で、その場をとりつくろってしまうことだ。

その「すいません」の根っこには、「なんとなく」が隠れている。

「なんとなく」という適当な判断でおこったトラブルは、なんの改善ももたらさない。

簡単に「すいません」と言ってはいけない。

言い訳をしろというわけではなく、

「なにがいけなかったのか？」

「本当は、自分の中に信念があったんじゃないか?」

「詫びるべきことはなんなのか?」

自分なりにはっきりさせてから、頭を下げよう。

心の底から本気でお詫びができる人間だけが、信頼されるし、より大きなチャンスを任せられるようになるんだ。

「自分が悪いに決まってる」から
「自分の行動のなにがいけなかったのか?」へ。

40

遠慮を捨てる。

Agreement Breaker

ここぞっていうときを逃さないこと。

「職場でうまくやっていく」というのは、サークルのように仲良くすることじゃない。

プロ同士が本気で仕事をしようと思えば、意見が食い違ってくるのは当然だ。

目に見えない緊張感に圧倒されると、ここで出しゃばるのはよそうとも考える。

「みなさんのやり方を尊重します」と言えば聞こえがいいかもしれない。

相手の気分が良くなることを言い続けるのも簡単だ。

しかし、まわりの意見に同調してばかりいたら、仕事はいつまでたっても自分のものにならない。

仕事に正解はない。

たとえ経験が浅くても、

(これっておかしいんじゃないか?)

という心の小さな声が聞こえたら、たとえ場の空気を壊してでも、遠慮せずに思ったことを伝えよう。

その発言によって、とんでもない雰囲気になってしまうかもしれない。

また完全な自分の勘違いだったがために、思いっ切り罵倒されるかもしれない。

40 遠慮を捨てる。

でも、あなたが仕事のことを本気で考えているかどうかは、雰囲気で伝わるものだ。場の空気を壊すリスクにめげず、何度も失敗しながら、思ったことを言葉にしていく人だけが、プロとして認められていく。

どんなにつたない表現でもかまわない。

真剣なら声を上げろ。

「間違うのが恥ずかしい」から「間違うほど成長する」へ。

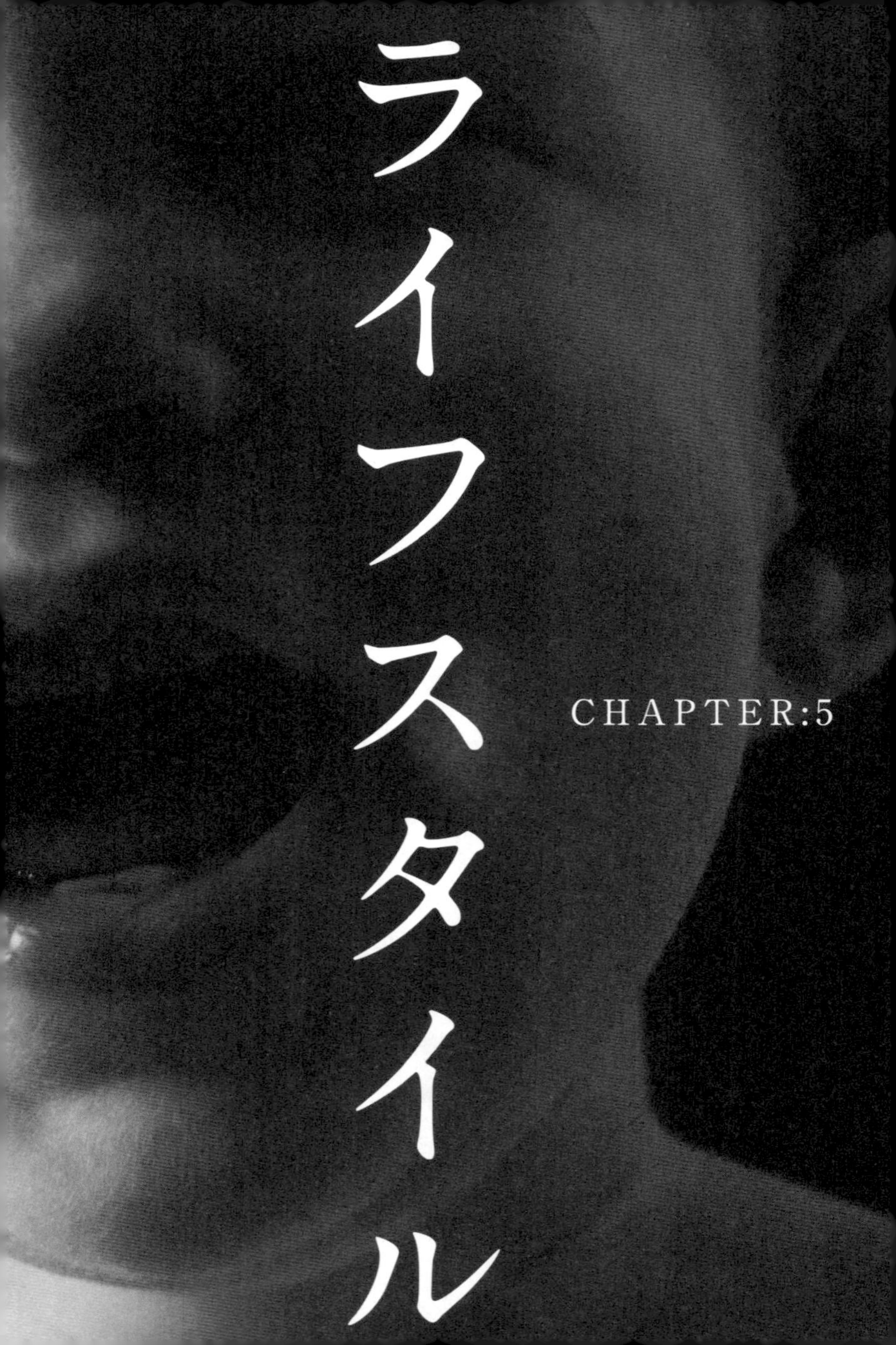

ライフスタイル

CHAPTER:5

やれることは無数にある。
だが、本当に「今やるべきこと」は一つしかない。
自分はどうしたいのか。
なにを考えたら、ワクワクしてくるのか。
その答えは誰も教えてくれない。
胸の奥の深いところに耳を澄ませ。
わがままを肯定しろ。
優先順位がわかったら、あとは実行にうつすのみ。

41

「無いと不安」を捨てる。

Be Naked and Solid

軽さこそが、正義。

41 「無いと不安」を捨てる。

若い頃はいろんなものを持っていないと不安で、本や資料、デジタル機器、ペンとノート、もらったおみやげなど、なんでもかんでもカバンに詰め込みがちだ。それでも、体力があるからなんとかなってしまう。ぼくも無駄に多くの荷物を背負い、毎日フラフラだった。

登山でも同じだった。バックパックが重すぎて、頂上をめざすことだけに精一杯で、山歩きそのものや、途中で目にする景色をまったく楽しめていなかった。でもあるときから「あればよかったもの」よりも、「なくてよかったもの」に焦点を当てるようにしてみた。

荷物が重すぎて歩けなくなると、山では事故につながる。そこで自分にとって必要なアイテムを把握した上で、ギリギリまで軽量化にトライしていった。

1週間分の食料、テント、寝袋、着替えなど〝衣食住〟すべてをバックパックに入れて約17キロ（20代の頃だったら、25キロをゆうに超えていただろう）。テクノロジーの進化によってギアが軽量化したというのもあるが、それ以上にぼくの思考がよりシンプルになり、「いるいらない」の判断基準がはっきりしてきたんだ。

山でも街でも、極限まで荷物の軽量化を突き詰めるようになった。

そうしたら、苦しかった毎日が急に楽になり、ささいなこと、大切なことを感じ取れるセンサーが鋭くなってきた。

荷物は軽い方がいい。これは絶対だ。

「持っている安心」よりも、「ほとんど手ぶら」で味わう自由さを。

「とりあえず持っていこう」から
「ためしに置いていってみよう」へ。

42

慣れた住まいを捨てる。

Nomad Style

拠点を変えるほど発想力は上がる。

ほとんどの人にとって、家は一箇所、仕事をする場所も一箇所だろう。

同じようなところに拠点をかまえ続ける。

その理由はなに?

駅から歩ける距離や会社への通勤圏内、利便性。

それだけで定住を決めなくてもいいはずだ。

暮らす場所、働く場所、行きつけの場所など。

場所を変えるだけで、いとも簡単に「新しい生き方」がはじまる。

見えなかったものが見え、縁がなかったような人と出会い、知らなかった新しい価値観を知るようになる。


ちょっと前までは、作家や資産家などといった限られた人しか、なかなか場所を転々とすることはできなかった。

でもモバイル機器や、インターネット環境の発達によって、誰でも好きな場所で働くことが不可能ではなくなった。

ふらっと気が向いたときに移動してみようとか、この街の雰囲気が気にいったからちょっと住んでみたいということさえできる時代になってきた。

42 慣れた住まいを捨てる。

別に会議室にこだわらなくたっていい。ここにいるとアイデアが出やすい、という場所があればそこに人を集めてミーティングをすることも可能だ。

また拠点をうつすたびに、身のまわりをリセットすることもできる。

思い込みや考え方だけではなく、モノや人間関係も一気に整理することができるんだ。

無駄なモノが減ってすっきりするから、集中力が増し、気力が充実し、どんどんいいスパイラルが生まれる。

さあ地図を広げて、興味のあるすべての場所にマーキングしてみよう。

べつに難しいことじゃない。

新しいライフスタイルは、「やってみたい」という好奇心と、「絶対に実現させる」という信念さえあれば、誰にでも手にすることができる。

「なにかと便利な場所」から「ワクワクさせてくれる場所」へ。

43

「あれもこれも」を捨てる。

True to Yourself

そこら中につけたツバで、
身動きが取れなくなる。

CHAPTER:5

43

「あれもこれも」を捨てる。

人生は優先順位の付け方で決まる。

自分はどうしたいのか。

そのために今なにをするべきなのか。

そこから導き出された、たった一つの行動。

そこに、真正面から取り組む。

あれもこれもと手を出すと、その分だけ選択肢が増えて、今なにをするべきか迷い、わからなくなる。

わからなくなると、ついどうでもいい行動を取ってしまう。


ぼくは、心の中心が発する「ニュージーランドの湖畔に暮らしたい」という声に従って、ひたすら今の生活に近づくための行動に絞り込んだ。だから迷わずに済んだ。簡単なことではなく15年もかかったけれど、絞り込んだからこそ夢を叶えられた。

湖のほとりで、釣りをして、野菜を育てる半自給自足の暮らし。

奇跡のような朝焼けの写真を人に見せると、「うらやましい！」と言われる。

でも実際、うちに遊びにきたほぼ全員が「住むのは無理だ」と言う。

ぼくにとっては理想の暮らしでも、別の人にとっては過酷な暮らしだったりする。

それでいいと思う。

大事なことは自分がのぞむ生き方をとことん追求すること。

一般常識や雑念、誘惑はみんなノイズだ。なにを手に入れたいか。その答えは外にはなく、自分自身の内側にしかない。

内なる声に耳を澄まそう。

そして、内なる声に従う勇気を持とう。

「あれもこれもやりたい」から
「これしかしない」へ。

44

照れを捨てる。

Dream Way

欲求を惜しみなく伝える。

〝自分の欲求〟を惜しげもなく出そう。

初対面でもいいから、誰かに会ったら伝えてみよう。

自分を見張るもうひとりの〝空気を読む自分〟を消去し、大きく目を見開いて、「自分はこういうことがしたい」とはっきりと。

きっと、なんでそこまで熱心に話すんだとあきれられるだろう。

それでも言い続けるんだ。

すると、ある日気づくことになる。

まず、紹介される言葉が変わる。ぼくの場合は「営業部の四角君」ではなく、「なぜかニュージーランドに行くのが夢だと言いまくっている四角君」と紹介されるようになった。

その場では笑われるかもしれないが、あなたを表現する〝記号〟が増えるだけで、覚えてもらいやすくなる。これだけでも仕事のアドバンテージになる。

さらに、「近々こういうイベントがあるよ」「詳しい人を紹介しようか?」という情報が集まってくるようになる。

ニュージーランドに移住したいと言っていなかったら、「いいニュージーランドの

44 照れを捨てる。

アーティストがいるよ」とか「親戚の義理の旦那さんの友人がニュージーランドに移住した」と教えてくれる人が現れるはずがない。

多くの人に〝自分の夢〟をインストールできたら、多くの人があなたの夢のサポーターに変わってくれる。

〝欲しいもの〟はただそれを明らかにするだけで、自然と自分のところに集まってくる。

実は、世の中はそういう循環システムになっているんだ。

結果がどうなるかは、今のところ気にしなくていい。

まずは発信すること。そして、世界が少しずつ動きはじめる。

「言ったら恥ずかしい」から「まず言う」へ。

45

〝つねにオンライン〟の習慣を捨てる。

Inner Quest

一日一回、オフライン時間を設定する。

45 〝つねにオンライン〟の習慣を捨てる。

パソコン、スマートフォン、携帯ゲーム、デジタル放送、GPSナビ……テクノロジーは発達し、今や世界中、たとえ大自然の中でも通信が行き届くようになった。

そのせいか、四六時中ネットで、大勢とつながっている感覚が抜けない。

連絡したいときにいつでもつかまることが〝善〟とされてきたが、本当にそうか？

あふれる情報の中で生きるからこそ、一日のうちのどこかに、オフラインの時間帯を設定した方がいい。

人生の1％。24時間の1％にあたる15分間でいい。どこともつながっていない静けさを一日に一度、自分にプレゼントしてほしい。

あらかじめセットしたアラームが鳴ったら、飛行機の中と同じように、すべての通信機器をオフにするんだ。

やりかけのことがあって、後ろ髪を引かれるかもしれないがとにかく電源を落とす。

画面から目を離し、〝心の待機状態〟を解除したら、今度は身体の力を抜いて、あとは自分のことだけを考える。

自分の心の存在を感じることが大切だ。

ゆったりとした時間の流れの中にいる自分。

ノイズに邪魔され日中は聞こえていなかった、とても小さな自分の声も聞こえてくる。

オンライン中には思いつかなかったアイデアや、
本当はもう〝やめたい〟と思っていることに、ふっと気づいたり。

いつの間にか放置していた〝やりたかった〟ことを思い出すこともある。

周囲に流されることなく、自分の人生を自由にデザインするためには〝周囲とつながらない時間〟がどうしても大事なんだ。

「いつでもつながる」から「つながりたいときにつながる」へ。

46

〝逃げない覚悟〟を捨てる。

Positive Escape

ポジティブな逃げ道を作ればいい。

勝負をするときに、度胸はいらない。

一か八かの本気の勝負をしたいなら、はじめから逃げ道を作っておけばいい。それもポジティブな逃げ道を。

ぼくが組織に属しながらも、つねにインディペンデントな立場であり続けられたのは、いつでもやめられる覚悟があったからだ。

その覚悟ができた理由はシンプル。他に生きる術《すべ》を持っていたから。

寝袋があればどこでも生活できる自信があったこと、得意な釣りをして自分で食糧調達もできたこと、それと教員免許を持っていたことだ。

食べ物には困らない無料のキャンプ場をいくつか知っていた。いざとなれば、そこで魚を釣り、自生する山菜や野草をとって食べ、テントと寝袋で暮らせばいい。もしくは、学校の先生になるか、大好きなニュージーランドに行ってしまえばいいと思っていた。

今考えてみれば、そんなキャンプ生活も、先生という職業も、ニュージーランド移住もぜんぜん簡単なことじゃない。なんの裏付けもなかった。

それでも良かった。

CHAPTER:5

46

〝逃げない覚悟〟を捨てる。

「いざとなったらこっちがある」と想像するだけで、自由な気持ちになれたし、仕事でも人生でも、つねにフルスイングすることができたからだ。

「自分にはここしかない」と思ったら、恐ろしいほどの閉塞感に襲われ、自分の人生に絶望してしまいそうだったんだ。

逃げ道を作るのはカッコ悪い、人間は追い込まれなきゃダメだ、そういう考え方もある。

でもぼくの場合、人生に自信を持たせてくれたのは、あきらかに〝選択肢〟の存在だった。

前向きな逃げ道があったからこそ、失敗の可能性を見据えながらも、いつでも思い切って挑戦することができた。

そのおかげで、大きな成果を出せただけでなく、行動すべてに悔いがなかった。

「怖いけど、やっちゃえ」から
「怖くないから、やっちゃえ」へ。

47

会社への忠誠心を捨てる。

Your Lifestyle

ライフラインをいくつか確保する。

47 会社への忠誠心を捨てる。

あなたがもしも営業マンだとして、得意先が一つしかなければ、そこにしがみつくしかない。

相手の言いなりにならざるをえず、挑戦的でクリエイティブな提案はできなくなる。

それなのに多くの人は、自分の勤めている会社という〝クライアント一社〟だけにすがって生きていこうとしている。きわめてハイリスクだし、不自由な状態だ。


他にライフラインを探しておいた方がいい。

会社で副業が禁止されていても、交渉してみよう。副収入目的ではない活動だったり、趣味の延長だったりすれば、公務員でさえ特別に許可されることがある。

そうやって自分が他の仕事をする可能性について、シミュレーションとトレーニングを積み重ねるんだ。

大切なことは、他にも道があるという精神的なセーフティネットを持つこと。

お金にならなくてもいい。

ぼくにとっては特に釣りがそうだった。

今の時代、趣味をライフラインに変えている人が多い。ぼくはただの釣りマニアから、気づけばいつの間にか釣りの仕事をするようになっていた。

好きで長年集めまくっていた釣り道具のカタログは、かつては本棚を占拠したガラクタだったが、今となっては新商品開発のためのアイデアをくれる宝の山だ。


大好きなことをきわめていくと、それを〝誰かに教える〟ことが仕事に変わる可能性がある。ソーシャルメディアで発信してみよう。出会う人にも伝えてみよう。そうやって最初の小さな一歩を踏み出すことで、また次の一歩が見えてくる。

大切なことは、ハンパなく、とことん好きになること。そして表現すること。

趣味の達人が尊敬される時代になってきたんだ。

「会社でどう役立つか」から
「世の中でどう役立つか」へ。

48

あきらめを捨てる。

Go For It

小さな欲求をいくつも解放する。

本当にやりたいことは、見たことも、聞いたこともないところには存在しない。

それは自分の内側にだけ存在する。

自分のルーツへとつながろう。

生まれたことに歓声をあげたあの瞬間に戻るのだ。


幼い頃にワクワクしていたこと、知りたいと思っていたことはなにか。

そんなごく小さな〝衝動〟を思いだす。

そしてくだらないことでもいいから、とにかく衝動を行動にうつす。

やりたいと思ったらすぐはじめてみる。その決断に〝アタマ〟を介在させてはいけない。

「好きな映画を観まくりたい」とか「夕焼けを日没まで見たい」とかなんでもいい。

ささやかな欲求を解放すると、その欲求がまた別の欲求を連れてきてくれる。

やがて、自分の本当の欲求はなんだったのかが、だんだんわかってくる。


実は、夢はあきらめるより、忘れてしまうことの方が多い。

48 あきらめを捨てる。

「やりたいと願う」から「やりたいことを忘れない」へ。

安定した日常に慣れてくると、このままでも悪くないなと思わせる誘惑がいっぱいあるからだ。そんなノイズが夢を忘れさせる。
だから、つねに夢を忘れない仕組みを生活の中に作る。
リビングには〝夢〟を彷彿とさせる絵を、
ベッドには〝夢〟につながる大きな地図を、
iPhoneやMacBookの壁紙には〝夢〟を象徴する画像を貼り付けて、
本棚の一等地には〝夢〟に近づくための本を並べる。
会社のデスクには〝夢〟とリンクするポストカード、
〝夢〟をイメージさせてくれる曲でプレイリストをつくる。
10年以上忘れずに、同じテンションを維持できれば、〝夢〟は引き寄せられてくる。
必ず叶うから。

49

むやみな自由願望を捨てる。

Here or Nowhere

実績を出してから次をめざせ。

49 むやみな自由願望を捨てる。

自分にはもっとやりたいことがある。

といって、なんの準備もせずに会社をやめれば、きっと後悔する。

オフィスや備品を使えること、同じ空間に仕事仲間がいること、自分の苦手な仕事をかわりにやってくれる人がいることなどが、いかに当たり前じゃなかったかを思い知ることになるからだ。

カーッと熱くなって、いきなり会社を飛び出すのは、準備もなしにフルマラソンに挑戦するのと同じ。途中で倒れるのは間違いない。

日常業務をこなしながらそのかたわらで、トレーニングを兼ねて少しずつ、やりたいことに取り組んだっていいじゃないか。

何日もかけて山を歩くロングトレッキングと同じ。大股で歩くと半日でバテる。

自分のペースを守り、小さな歩幅で歩けば遠くまでいける。

しかも疲れず快適に。そして楽しく。

会社をやめたいと思ったら、まず余計な付き合いや買い物をすべてやめよう。

生活レベルを下げて、どこまでミニマムライフコストを下げられるかを実験しよう。

それから今いる場所で、どこに行っても通用するマナーと、あらゆる職種で活かせるベーシックスキルを身に付けることに専念しよう。

給料をもらいながら、勉強させてもらえると考えれば、つまらないと思っていた業務が〝教材〟にかわり、不愉快な上司は〝教官〟に見えてくる。

その上で、挑戦してみたい分野で活躍している人に会って、話を聞いて、自分のことを少しだけプレゼンしてみる。

そうやってシミュレーションを重ねながら自分のイメージを固めていく。

でも焦るな。たった一つでいいから、今いる場所で成果を出すこと。

「ダメだったからやめる」だと、ずっと負け犬気分が抜けないままだ。

なにも残さずに、仕事をころころ変えたって、きっといつまでも変わらないよ。

「この会社じゃなにもできない」から
「この会社でなにができるか」へ。

50

成功例を捨てる。

Reset and Rebuild

なぞるよりも、フルリセットしよう。

ぼくは釣りが好きで、中でもフライフィッシングの虜《とりこ》だ。

澄んだ空と、足元の透明な水。

清らかな冷気が肺の中を満たし、
森の緑は、眼球の奥まで洗ってくれる気がする。

野生魚には、一切の無駄がない。顔つきにすきがなく、尾ビレはピンと張りつめ、流線形の身体は光沢を放ち、ミニマムを極めた美しさがある。

最大の魅力は、すぐに釣れないこと。

こんな虫や小魚を食べているんじゃないかと予想して、それを模したフライ（毛ばり）を自分で作り投じてみるが、目当ての魚に見向きもされない。

仮説をたて、想像力と技術を駆使してやってみる。でも釣れない。

なぜだったかを検証する。その果てしない試行錯誤を続ける中で少しずつ〝邪念や下心〟が消えてゆく。ついに魚が釣れる。そのとき自然とつながる感覚を味わえる。

でも次の日、同じ手法はまったく通用しない。

自然と同じく、社会は雄大で深遠な存在で、コントロールは不可能だ。

戦略だけにはめようとすると、そこそこの成果しか出ない。

50 成功例を捨てる。

「うまくやってやろう」という傲慢さや殺気のようなものは、敏感にかぎ取られるものなんだと思う。

人生と、釣りの極意には共通点がある。

今まで見てきたこと、経験してきたことが正しいという思い込みや、成功体験は捨ててしまった方がいいということだ。

つねに謙虚に。

大きな存在の前に自分は無力。

そう思うことで人は変化することを怖れず、挑戦し続けることができる。

やがて、夢のように大きな魚とめぐりあえる。

心が無になったとき、奇跡が目の前に現れるんだ。


「うまくいった例を探す」から「うまくいった例は捨てる」へ。

ogue

Epil

Don't let the "NOISE" of others' opinions drown out your own "INNER VOICE" . And most important, have the courage to "FOLLOW YOUR HEART" and intuition.

-Steve Jobs (Speech at Stanford University in 2005)

今思えば、ひどい20代だった。
子どもの頃から人と話すことが苦痛で、
雑談も続かないし、接待もできないし、まわりの目が怖い。
それなのに、大きな会社でサラリーマンをやっていたわけだ。
過度のストレス。原因不明のじんましん、咳、顔面麻痺。
歯ぎしりで奥歯が割れ、駅のホームで意識を失う。
最悪なときは「おはようございます」という言葉さえ、どもった。

「大人は誰だって苦しい」
社会人になると自由なんてない。みんな生きていくために必死なんだ。
そう自分に言い聞かせて、がんばっていた。
でも、心の声はずっと「なにかおかしい」と叫んでいた。
常識に縛られ、自分に嘘をつきながら、まわりに合わせて我慢しながら、
みんな大人になる？　本当にそうなのか？
一刻も早くこの場所から逃げだしたい。そんな気持ちでいっぱいだった。

epilogue

おわりに

子どもの頃から、心に思い描いていた夢があった。
それは、大好きな釣りをきわめるために湖のほとりで生活すること。
水ぎわに立ち、一日中ただひたすら魚のことだけを考える。
庭からまっすぐ歩き、湖面に突きだした桟橋の上に立ってみる。
下をのぞくと、透き通った水、美しいニジマスが泳いでいる。
深呼吸する。見上げれば、ちぎれ雲が流れている。
日が落ちれば幻想的な朱色が、空と湖面という二つのスクリーンに広がる。

そんな未来を夢見て、ときどき〝最寄りの自然〟に逃げ込むことだけが、
騒々しい会社生活を生き抜くための唯一の救いだった。

15年間仕事をがんばって、それなりに給料も上がった。
けれど、生活水準はまったく変えなかった。
まわりにはピカピカの高級車に乗っていた人もいたけど、

ぼくは一台のボロボロのワンボックスカーに雨漏りするまで13年間乗り続けた。
みんなはより豪華なマンションに引っ越していったけど、
ぼくは家賃の安さが魅力で、敷地内にお墓がある築40年の部屋に住み続けた。
徹底的にお金の使い道を調べて、弁当を持参しランチの出費さえもおさえた。

なぜか。

「ニュージーランドの湖畔で暮らしたいから」

人に言ったら苦笑されることも多かったけど、ぼくは本気だったんだ。
職業も会社もゴールではなく〝乗り物〟。
行きたい場所さえわかっていれば、ちゃんと目的地に連れて行ってくれる。

はじめから移住をめざしていたから、家具はほとんど中古で最小限のモノだけ。
コンテナ便でニュージーランドに送るモノも特になし。
移住が決まって、10年以上暮らした部屋の整理をしてみれば、

epilogue

おわりに

70リットル袋で計30個、5トントラックにして約2台分のゴミが出た。
リサイクルショップに引き取ってもらったり、
幾度となく粗大ゴミを出したりした。
ブランド品は興味なし、物欲なんてないと思っていた自分が、
こんなにも多くのモノを所有していたことに改めて驚いた。
今までの人生で集めたすべてのモノを整理する行為は、
まるで茂みをかきわけ、あらたな道をつくっているようだと思った。

住む家も決めずに出発。
アウトドアウェアとＭａｃＢｏｏｋを詰めたバックパックを背負い、
わずかな日用品と釣り道具が入ったトランクを持って成田空港へ。
人が生きる上で本当に必要な荷物は、こんなにも少ないのかと知る。
そしてあらゆるものを捨て、
今までに味わったことのない〝身軽さ〟の快感に身を震わせながら、
ぼくはついに夢を叶える旅に出たんだ。

20代のほとんどを、この夢のために費やしてきた。
人付き合い、出世、プライド、流行、地位……ほとんど捨てる作業の連続だった。
そんなに捨てて、不安にならないの？　と何度言われたかわからない。
だけど大丈夫。捨てて後悔したものはほとんどない。
人は、本当に大切なモノは絶対に捨てない。
すべてを捨てたつもりでも残るモノがある。
それを一番大切にして生きるべきなんだ。

そして、歳を重ねるにつれて、
ぼくはどんどん自分らしい人生を楽しむことができている。
見回せば、ぼくのまわりにもそういう大人がたくさんいる。

人生はルールのない旅。
安心感が欲しくて、あえて重い荷物を持つのか。

自由を感じたくて、荷物を減らしていくのか。
人によって楽しみ方はそれぞれだと思う。
僕は減らす方を選んだ。それも長い時間をかけて。

焦るな。走る必要はない。
自分が見たい景色をめざして、無理のない小さな歩幅で、ひたすら歩けばいい。
どこか素敵な場所を見つけたら、ぼくにも教えてほしい。
たまには足を休めて、朝日をながめながら語り合おう。

四角大輔

自由であり続けるために
20代で捨てるべき50のこと

2012年 7月25日　初版発行
2012年 8月 6 日　第3刷発行

著者　四角大輔

デザイン　井上新八

写真　Mountain Trip Magazine『PEAKS』（枻出版社）加戸昭太郎（P2～3）
鶴田浩之（P90～91）
四角大輔（P10～11、P158～159）
アマナイメージズ

Content Partner　Hirokazu SUGIYAMA & Satoru TOKITO

Special Thanks　hiroya & azusa

印刷・製本　萩原印刷株式会社
発行者　鶴巻謙介
発行所　サンクチュアリ出版

〒151-0051　東京都渋谷区千駄ヶ谷 2-38-1
TEL 03-5775-5192　FAX 03-5775-5193
http://www.sanctuarybooks.jp
info@sanctuarybooks.jp

ISBN978-4-86113-971-0

PRINTED IN JAPAN
落丁本・乱丁本は送料小社負担にてお取り替えいたします。